CÉSAR AIRA

Parmênides

Tradução do espanhol por

JOCA WOLFF E PALOMA VIDAL

Posfácio por

ANTONIO MARCOS PEREIRA

1

ESTA É A HISTÓRIA TRISTE E FATAL do escritor Perinola, que viveu no início do século 5 a.C. numa colônia grega ao sul da costa italiana. Quando a história começou, embora já começasse a deixar de ser jovem, era um escritor jovem, uma "promessa", como se costuma dizer; não havia grande coisa em que basear essa promessa, mas é preciso pouco, ou mesmo nada, se o que se promete é tão inverificável como a poesia. Na realidade, ele não tinha escrito quase nada, e fora lido menos ainda, mas isso não significava que o modo (um tanto ambíguo, aliás) como um punhado de especialistas em poesia o considerava carecesse de qualquer fundamento. Às vezes acontecem casos de adivinhação social, que costumam entrar na categoria de profecias autorrealizadas. É possível que isso se deva à escassez de escritores bons: quando aparece um, entre mil ruins, ele mal precisa escrever para que alguém repare. E, além disso, há o fato de que as falsas adivinhações ou as promessas que não se cumprem não são levadas em conta.

Por minúsculo que fosse esse círculo de especialistas, ele bastou para pôr em marcha a história, pois deve ter sido um de seus membros que fez chegar, direta ou indiretamente, o nome de Perinola a um proeminente hierarca, quando ele precisava dos serviços de um escritor, ou amanuense, ou secretário (não sabia direito, e nunca chegou a saber). Esse personagem, que se chamava Parmênides, deve ter confiado no seu informante, porque mandou que o chamassem e lhe ofereceu sem mais o trabalho, que Perinola, depois de uma breve vacilação mais formal do que real, aceitou. Houve pouca reflexão tanto na oferta como na aceitação; é possível dizer que ambas foram feitas às cegas. A decisão mudou a vida do jovem escritor, e ele não teve motivos para se arrepender de tê-la tomado. De qualquer modo, sua vida não mudou tanto a ponto de deixar de ser uma vida de escritor. Mas sempre é difícil dizer em que consistem as mudanças sofridas pela própria vida. Ele continuou considerando o "episódio Parmênides" como marginal a seus interesses profundos, durante seus dez anos de duração. Mas ao mesmo tempo, misteriosamente, foi central.

O primeiro encontro, no qual se conheceram, aconteceu nos augustos salões do Fórum. Perinola conhecia o prédio de fora, era parte da paisagem que via cotidianamente, mas nunca atravessara os pórticos entre colunas, nem pensara em fazê-lo, e na realidade nunca tivera interesse nenhum no que acontecia lá dentro; nem mesmo na sua imaginação, que, como a de todo poeta, era muito inclinada a ingressar em territórios não trilhados, atravessou o umbral das moradas do Poder, certamente por não constar nos seus planos nenhum tipo de contato com aquele mundo. No entanto, alguma elucubração subliminar ele deve ter feito, pois o que encontrou ao entrar o decepcionou, e a decepção só podia obedecer a uma expectativa prévia. Havia muito mármore, muito bronze, muito espaço, mas tudo de mau gosto e até mesquinho. Não sabia bem com o que estava comparando. Com os palácios inexistentes dos deuses? Com a Natureza? De todo modo, foram impressões fugazes, de salas vazias com altares aberrantes e colunas mal calculadas e corredores inúteis, que ele atravessava seguindo um escravo corpulento que o esperara na porta e o conduzia ao *sancta sanctorum* do seu amo. Com o passar do tempo, Perinola chegaria a conhecer bem o lugar, assim como as casas de Parmênides, e todo esse ambiente deixaria de ter segredos para ele. Então, paradoxalmente, ao mesmo tempo que se humanizaria a seus olhos, o mundo dos ricos e poderosos recuperaria o fasto e a elegância que, sem que ele percebesse, tivera na sua fantasia.

Como o escravo tinha dito a ele, Parmênides o esperava. Não precisou aguardar. Era um homem jovem, não devia ter nem quarenta anos

(Perinola tinha vinte e nove), alto e bastante majestoso, charmoso, com um nariz grande. Alguma coisa no ar indicava que realmente o estava esperando, inclusive com certa ansiedade. O cumprimento e o convite para sentar demonstraram que estava um tanto intimidado, como era de se esperar de um personagem com berço ao receber um inferior desconhecido. Talvez temesse se mostrar condescendente.

A primeira coisa que disse foi que não entendia nada de poesia, nem estava a par de quem a praticava na atualidade, e por isso mandara fazer uma breve investigação da qual surgiram dois nomes, tanto um quanto o outro ouvidos por ele pela primeira vez. Um dos nomes era o de Perinola... O que explicava aquele encontro. Pelo coração do jovem interlocutor passou um sentimento vagamente contraditório. Devia se sentir orgulhoso de que seu nome tinha sido recomendado mas, ao mesmo tempo, sentia que a explicação, por ser desnecessária, o desvalorizava um pouco. Se esse personagem estava precisando de alguém para ajudar num trabalho intelectual, fosse qual fosse, ele convocava um poeta de certo prestígio e lhe oferecia o emprego. O que mais precisava dizer? O que acabara de relatar não significava outra coisa senão que a fama de Perinola não chegara às altas esferas ou, no melhor dos casos, que na eminente esfera à qual Parmênides pertencia não se interessavam por literatura, certamente por considerá-la uma atividade inútil ou insignificante. Mas talvez fosse desfiar demais o assunto; a declaração de ignorância de Parmênides não devia ter outra intenção além de esclarecer as coisas, iniciando a relação sem pontos obscuros, por menores que fossem, e assentando assim sua posição de quem não sabe diante de quem sabe. Essa honestidade lhe agradava, embora tenha precisado se esforçar um pouco para que fosse do seu agrado naquela ocasião.

Em seguida, houve um pequeno excesso suplementar de honestidade. Sem que perguntasse (limitara-se a assentir, com um sorrisinho), Parmênides disse a ele que o outro nome que tinham lhe dado era o de Zenão. Outro cabeceio de Perinola, como quem diz "eu sei quem é". E tinha mandado chamar Zenão primeiro. Esclareceu que o fizera somente porque era o primeiro da lista, fruto do puro acaso. Repetiu que os dois nomes lhe eram desconhecidos e tanto fazia um como o outro. Mas não conseguiram encontrar Zenão. De fato, Perinola sabia que seu colega estava viajando.

Desta vez seu coração foi menos generoso com a desculpa. De repente a ignorância de Parmênides, e dos informantes em que ele confiava, mostrou sua face difamatória. Pôr seu nome na mesma lista, de igual para igual, com o de um pseudopoeta como Zenão transformava a ignorância em indiferença ou, simplesmente, em desdém. Sendo assim, o surpreendente era terem incluído o nome de Perinola. Até agora acreditara que bastava ter o mais superficial conhecimento literário para fazer uma distinção cortante entre o fraudulento e o genuíno. Zenão nem sequer aspirava a ser genuíno, porque, ele bem devia saber, isso não lhe traria nem fama nem dinheiro. E, explorando a ignorância geral, conseguiu certa fama, uma popularidade de que Perinola passava longe. Mas Parmênides tampouco ouvira falar de Zenão, o que de certo modo era tranquilizador, porque indicava que tudo relacionado à literatura lhe era alheio, não apenas ela em si, mas também seus simulacros sociais. Ainda assim, era triste comprovar mais uma vez que ninguém entendia nada, que a ninguém importava não entender nada.

A ferida narcísica que isso lhe infligia ficou reduzida a um mero arranhão ao lado de uma nebulosa sensação de ameaça. Pois, era nesse mundo estranho, que não reconhecia as regras de funcionamento básicas do seu mundo, o das letras, que ele estava prestes a entrar ou estava entrando, e entrar num mundo desconhecido tinha seus riscos. Em todo caso, o que esse homem pediria, fosse o que fosse, poderia estar muito além de suas capacidades específicas se tanto ele como Zenão podiam fazê-lo. Mas tranquilizava-o a convicção, tão profunda que nem precisava ser posta em palavras, de que, se conseguia ser genuíno, também conseguia fazer o simulacro ou, inclusive, fazer as duas coisas ao mesmo tempo.

De qualquer modo, o preâmbulo tinha ficado para trás. Parmênides entrou imediatamente no assunto, pelo hábito de quem governa de não perder um tempo valioso. Precisava de ajuda profissional para escrever um livro. Que livro? Não disse. Deixou para mais tarde. Disse que nunca escrevera, mas sua atividade legislativa, médica, religiosa, social, lhe provera de conhecimentos da mais diversa índole, conhecimentos que, agora que atingira a maturidade, se combinavam numa visão geral do mundo, numa ciência coordenada dos seres e fenômenos. Essa mensagem, tendo pouco ou muito valor (aqui insinuou que a modéstia, e só a modéstia, o obrigava a acreditar que poderia ser pouco), não deveria se perder, e o único modo de isso acontecer seria submetendo-a a um processo de escrita. Mas não sabia escrever. Ou sabia. Não sabia se sabia ou não sabia. Nunca fizera isso. Os cargos, as responsabilidades, a carreira de honrarias, empreendida na primeira juventude e desenvolvida sem pausas, tinham tirado tempo da tarefa reflexiva e solitária de escrever, para a qual sempre se sentiu atraído. Não lamentava demais, em primeiro lugar porque não era tarde demais, e sua decisão de recuperar o tempo perdido era firme, e em segundo lugar porque esse afã pelos negócios públicos que o impedira de escrever tinha lhe dado a rica e variada experiência que seria a base sólida do que escreveria.

Esse último raciocínio soou bastante duvidoso para Perinola. Deixava implícito que aprender a escrever era um trâmite sucinto e apenas utilitário. Soava, precisamente, como um raciocínio, com tudo de oco e fictício que têm os raciocínios feitos no ar, que convencem e autoconvencem, mas resvalam na realidade sem dar pé. Se indicava um traço psicológico de Parmênides, desmentia clamorosamente seu elogio à experiência como professora e guia.

Ele não disse nada, no entanto, já que uma fagulha de astúcia, tão rara nele, lhe sussurrou que não servia para o negócio, se é que havia negócio. Além disso, não era preciso dizer nada. Parmênides continuava falando, com exuberância e energia crescentes, como se o som da sua própria voz lhe desse ânimo, ideias, convicção. Parecia inventar um personagem para si mesmo, um personagem novo que o agradava e lhe exigia mais detalhes, mais matizes, mais verossimilhança.

Já estava embalado no "que", depois de terminar o "como". O que queria escrever era um livro, é claro, o que mais poderia ser? Ele já tinha pensado em tudo, mais até, já o tinha "escrito" no pensamento, de tanto que matutara sobre isso. Não passava um dia sem que alguma coisa lhe ocorresse, não havia quase nenhuma hora do dia na qual não despontasse na sua consciência o almejado projeto, sempre com luzes mais nítidas, mais urgentes. E sempre, invariavelmente, era interrompido por algum assunto do momento, alguma decisão a ser tomada, alguma distração. As coisas não podiam continuar assim. Havia chegado o momento, definitivamente, de pôr esses pensamentos no papel. Entre outras coisas porque percebia que se continuasse brincando com suas ideias sem registrá-las, começariam a se misturar, a se sobrepor, a serem superadas. E, ao dizer que "havia chegado o momento", estava respondendo ao "quando", de modo que devia voltar ao "como". Aí é que Perinola intervinha, com seu saber profissional ou técnico a respeito de questões de versificação e de escrita em geral.

Perinola, que até então se limitara a assentir com gestos ou com algum balbucio, fez uma pergunta: seria o seu trabalho, no geral, o de mentor literário ou o de colaborador na redação desse livro? Ou, em outras palavras, Parmênides queria aprender a escrever ou só se propunha a escrever esse livro?

Era bastante evidente que a pergunta não tinha ocorrido a Parmênides, mas ainda assim sua resposta foi imediata:

"As duas coisas."

Perinola teria tempo para se acostumar com essas respostas que não eram respostas. Todas as suas propostas, mesmo que as apresentasse como alternativas excludentes, seriam aceitas com a mesma velocidade e entusiasmo. De fato, continuou Parmênides, "as duas coisas" (e, embora não o tenha dito, muitas outras coisas, todas as que surgissem), dada a amplitude do projeto. Justamente, era disso que se tratava. Sua carreira o pusera em contato com todos os aspectos da vida social, política, econômica e cultural da cidade. E seu convívio frequente com os estrangeiros que vinham de todas as partes da terra e das costas do mar, com os quais infalivelmente conversava, embora devorassem o tempo da sua já cheia agenda, ampliavam e colocavam em perspectiva os seus conhecimentos. Seguiu-se uma prolongada digressão acerca dos viajantes mais recentes com os quais tinha trocado ideias, e dali se seguiu uma história detalhada de uma viagem que ele mesmo tinha feito... Como falava. Com quanta segurança. Quão alta era sua autoestima. Quando afinal Perinola conseguiu meter o bedelho, perguntou se ele poderia resumir numa palavra, numa frase, a matéria ou a substância do livro.

Parmênides ergueu a vista para o teto, entrecerrando os olhos. Um sorriso sonhador nos seus lábios parecia dizer que era essa a pergunta que estava esperando. É claro, não precisou pensar muito:

"Sobre a Natureza."

Mas esclareceu de imediato que esse título convencional não esgotava nem a matéria nem a substância do seu projeto. O seu não seria como esses tratados que proliferavam com o mesmo nome, porque o imaginava muito mais totalizante, baseado em premissas completamente diferentes.

Apesar dessas restrições, o panorama se esclarecia para Perinola. "Sobre a Natureza" queria dizer "sobre qualquer coisa" e, mais concretamente, queria dizer "livro". Era o nome daquela espécie de manuais de ensino que estava na moda, alguns dos quais ele examinara por curiosidade. Ali estava o "porquê". Esse homem queria ter um livro assinado por ele. Porque sim. Porque estava na moda, porque era a única coisa que faltava para terminar de dourar seu prestígio. Um livro podia viajar e levar sua fama para longe. Era bastante primário, bastante infantil.

Não obteve mais detalhes, embora a conversa tivesse sido longa. Tão longa que quando foi embora já era noite e teve que apressar o passo para chegar na sua casa, que não ficava perto, num horário razoável e sem que a esposa reclamasse; embora tivesse certeza de que não se salvaria, no melhor dos casos, de algum comentário inconveniente e uma noite de mau humor. Não importava que tivesse uma boa desculpa, porque suas atividades não lhe interessavam; ela não admitia desculpas já que ela não as tinha, uma vez que seu único trabalho era o da casa, sempre igual e sempre igualmente exigente. Tinham três filhos (outros dois haviam morrido pouco depois de nascer), o mais velho, de seis anos, a mais nova, uma menina recém-nascida. Nos poucos anos de casados, haviam estabelecido uma rotina na qual compartilhavam as tarefas. Sua ausência a essa hora estava provocando uma desorganização sentida em cada músculo do corpo.

Falando sozinho, dizia que a culpa tinha sido da conversa inesgotável de Parmênides. E ele ainda estaria falando se Perinola não o tivesse cortado. O outro não devia ter nenhum problema com os horários. E isso apesar de grande parte do seu discurso e das suas razões girarem em torno da questão da falta de tempo. Era contraditório, mas ainda assim compreensível. Perinola, pobre e desocupado, tinha menos tempo que o alto funcionário carregado de riqueza e obrigações. O que podia haver de estranho nisso? Quem carecia de tudo também carecia de tempo, e o que os ricos afirmavam a respeito disso caía no terreno das suas ilusões, com as quais justificavam para si mesmos seus privilégios.

Mesmo com a pressa, a caminhada lhe deu tempo para pensar. Tinham combinado de voltar a se encontrar no dia seguinte no mesmo lugar e na mesma hora, o que começava a responder ao "quando" e ao "onde". Apesar da insistência de Parmênides em começar o trabalho o quanto antes, Perinola não dera uma resposta definitiva. Usou como pretexto uns trabalhos pendentes (não tinha nenhum), uns vagos compromissos, e até insinuou dúvidas sobre sua capacidade de realizar satisfatoriamente um trabalho que nunca fizera antes. Parmênides descartou tais escrúpulos: os dois entrariam num território desconhecido e aprenderiam juntos. O prazo que obteve para se decidir foi de apenas um dia. Perinola teria preferido dez. Na verdade, teria preferido um prazo indefinido, de meses ou anos. Era desse tipo de homem, frequente entre escritores. Perdia a vida pensando nela. Mas a impaciência do seu empregador não aceitava mais que um dia, e olhe lá. Se fosse por ele, tinham posto mãos à obra ali mesmo, e escrito durante a noite toda e terminado o livro ao amanhecer. A ansiedade não era o único traço infantil que encontrara nele.

Pois bem, o prazo começara a correr, e como todo grande procrastinador, Perinola sempre estava tentando adiantar e organizar o que devia fazer (justamente porque não o fazia). As respostas que devia dar no dia seguinte eram duas: se aceitava o trabalho e quanto cobraria para fazê-lo. A primeira ficara mais ou menos decidida, ou ao menos Parmênides assim tinha entendido, e dizer o contrário exigiria esforço demais. Além disso, para Perinola, a primeira questão dependia da segunda. De fato, tinham falado do pagamento. A partir de certo ponto da conversa, Perinola quase não pensava em outra coisa, devorado pela ansiedade de o assunto vir à tona. Mas quando surgiu, não houve mais detalhes do que no resto todo. Parmênides se limitou a perguntar se ele queria um adiantamento, o que ele negou quase de imediato, sem pensar. Assustava-o a mera ideia de um compromisso às cegas. E, além disso, adiantamento do quê? Ou melhor dizendo, de quanto? Aí estava o xis da questão. Evidentemente, era melhor que Parmênides desse um valor, não ele. Com sua importância, somada à importância que dava a si mesmo e ao projeto, sempre daria um valor mais alto do que ele poderia. Mas não fez isso, não lhe deu pista nenhuma, e Perinola não quis insistir. De modo que agora teria que fazer cálculos... E antes de fazê-los teria de estabelecer alguma premissa sobre a qual calcular.

Quanto? Essa era a última e a primeira pergunta, de certo modo a única, a que encerrava a história toda. Ao percebê-lo, sentiu-se um pouco cínico, lembrando-se do desinteressado ardor intelectual de Parmênides. Mas um rico podia se permitir isso, enquanto ele...

O curso do seu pensamento o devolveu de repente à realidade, à noite que mal começara, as casas cada vez mais espaçadas, os terrenos baldios que se estendiam até as colinas, a calma de deserto. E esse retorno à terra produziu uma espécie de rebote: sua alma se elevou, ao céu estrelado, à lua branquíssima. No que ele estava pensando? Por que se preocupava com os detalhes? Quais eram os detalhes? Era paupérrimo, não tinha nada. Não tinha nada a perder, e tudo a ganhar. O que estava lhe acontecendo era um golpe de sorte insólito, incrível. Não havia melhor motivo para festejar. Ainda assim, buscou dentro de si mais causas para a euforia que o invadira. E, de repente, tudo pareceu assumir a condição gloriosa de causa de felicidade. Era jovem, gozava de uma saúde perfeita, a noite também era perfeita e tinha insinuações de inspiração, de poesia. Ou seria sua filha, sua primeira filha mulher, que acabara de nascer, linda como uma boneca? Intuiu que lembraria desse momento pelo resto da sua vida como um desses instantes do destino, milagrosos, equilibrado sobre uma linha quase invisível, uma conjunção de acasos irrepetíveis, "o cume do particular".

2

AO LONGO DO DIA SEGUINTE, Perinola pôde comprovar que mentira ao dizer que tinha trabalhos pendentes, porque até a hora do encontro ficou pensando no assunto que devia resolver e não fez nada além disso, a não ser os trabalhos da casa. E se não pensou em outra coisa foi porque não havia mais nada. Na realidade, havia, sim, dezenas de projetos e planos que dormiam à espera da inspiração ou da vontade. Que poeta não é habitado pelos poemas ainda não escritos? Mas deixou tudo de lado e se entristeceu um pouco em ver a facilidade com que conseguia fazer isso.

Em certo momento do dia, que avançou ao mesmo tempo devagar e rápido demais, como costuma acontecer em casos de ansiedade aguda, percebeu que, apesar da concentração monotemática com que sua mente focava no trabalho proposto por Parmênides, não havia pensado nem por um minuto no trabalho como escrita ou elaboração intelectual: a questão do dinheiro engolia tudo. Justificava-o dizendo que não podia ser de outro modo, não por culpa sua, mas de Parmênides, que não lhe dera nenhuma indicação do conteúdo do projeto, deixando-lhe como única matéria de reflexão as formalidades orçamentárias. Ainda assim, desagradava-o a suspeita de estar entrando numa espécie de simulacro.

De qualquer modo, esses escrúpulos não duravam. Ele voltava insensivelmente à questão do pagamento. Antes do valor, devia decidir se devia (ou seja: se lhe convinha) pedir uma remuneração pelo trabalho todo, isto é, pelo livro inteiro e terminado, ou pelo tempo. A alternativa se sobrepunha à que ele próprio apresentara a seu empregador: sua função seria ensinar o ofício de escrever ou colaborar na escrita de um livro? "As duas coisas", tinha respondido Parmênides, mas o fez por não saber, e não porque na verdade quisesse as duas coisas. Perinola ficara com a convicção de que tudo o que ele queria era escrever seu livro. Tornar-se escritor estava fora de questão, dissesse o que dissesse.

Sua honestidade lhe dizia que o correto era estabelecer um preço pelo livro: cobrar por tempo, ou seja, estabelecer um salário e embolsá-lo todos os meses o levaria a adiamentos interessados, a manobras de procrastinação que desde já lhe pareciam fáceis demais, aprofundando o simulacro. Mas isso não era um excesso de honestidade? Porque se baseava num diagnóstico das intenções inconscientes de Parmênides, tal como as imaginava a partir de apenas uma entrevista. Além disso, bem poderia ser que a honestidade estivesse fora de lugar, porque o caso de alguém pagar para o outro lhe escrever um livro já era desonesto em si.

Em termos puramente práticos, a alternativa também tinha seus problemas. Por um livro, e em especial um livro totalizante como o que

Parmênides tinha em mente, dava para pedir uma quantia de certa importância, por exemplo, uma que lhe permitisse viver um ano inteiro desafogado. Enquanto para uma remuneração mensal a quantidade devia ser menor, muito menor. E aí a pressa e os hábitos executivos do "autor" podiam prejudicá-lo: podia dar o livro por acabado em quinze dias, e então lhe restaria um miserável salariozinho único e mais nada.

Devia arriscar, mas dispunha de poucos elementos para decidir a jogada vencedora. Um elemento era a visível falta de ideias concretas de Parmênides a respeito do seu livro. Isso necessariamente demandaria tempo. Os "quinze dias" da pressa máxima podiam ser descartados sem temor. O que o deixava diante de um dilema que voltava a ser o primeiro e principal: quanto? Se pedia um salário mensal, qual devia ser? Não havia jeito de calculá-lo. A porcentagem dos comerciantes não valia nesse caso, porque não havia mercadorias que trocassem de mãos, salvo as imateriais da poesia e do saber. O trabalho se encaixava na categoria de "serviços", mas os serviços estavam a cargo dos escravos, que não recebiam salário. No entanto, ele tinha que avançar por esse lado. Mesmo sendo deprimente usar os escravos como paradigma, não tinha outro. Um escravo era alimentado e vestido por seus amos, e isso custava dinheiro. Quanto ele precisava para sua subsistência? Muito pouco, quase nada. De fato, passaram anos vivendo com nada. Mas isso Parmênides ignorava.

A chave da dificuldade é que não havia precedentes. De repente lhe caiu a ficha de que era o primeiro homem a enfrentar esse dilema. Se no futuro se generalizasse a curiosa profissão que ele estava inaugurando (de escrever para quem não soubesse fazê-lo), ele seria o primeiro precursor, o precursor de todos os precursores nos quais se basseariam os sacerdotes para suas tratativas, que então já estariam sistematizadas e tarifadas. E ele seria um precursor secreto, porque, desde já, começava a imaginar que Parmênides assinaria o livro sozinho, e aqueles que no futuro recorressem a esse tipo de serviço também iriam preferir mantê-lo nas sombras, como um “fantasma”. De modo que o precedente que ele estava inaugurando com suas decisões se transmitiria em voz baixa, como uma tradição esotérica. Embora não fosse possível saber (ele não saberia) se, nas eras sucessivas da humanidade, persistiria o desejo dos ricos e poderosos de brilhar com um livro que não sabiam como escrever. Quem sabe a onda na qual Parmênides surfava fosse tão fugaz como todas as ondas, e o prestígio do livro se extinguisse tão rápido quanto nascera. Quem poderia dizer? Dependia da evolução da literatura e da sociedade.

De tarde, quando se dirigia ao palácio do Fórum, teve um pensamento que o fez sorrir. Era possível que o entusiasmo de Parmênides já tivesse evaporado? Não só era possível, como muito provável. Era um capricho de rico, volátil por natureza. Como havia surgido, poderia ir embora. Ao colocá-lo em palavras, como fizera, talvez pela primeira vez, no dia anterior, devia ter se dado conta de que era um capricho vazio, sem substância. A própria conversa inesgotável não devia ter ocultado que, na realidade, não tinha nada a dizer, a não ser o que já havia sido dito. E ele, Perinola, não fizera nada para iludi-lo (agora era tarde demais para se lamentar e não sabia se poderia ter feito isso). E era bem possível que outros assuntos, urgentes ou importantes, tivessem surgido, fazendo-o engavetar esse projeto, ou que o tivessem feito ver toda a sua fatuidade pouco prática.

Não foi assim. Antes o contrário. O entusiasmo não só não tinha passado, como havia aumentado. Ele o estava esperando e, sobrenaturalmente, parecia esperar que trouxesse o livro já escrito. Mas, ao mesmo tempo, não se mostrou decepcionado porque Perinola não o fizera. Ao contrário, aceitou com energia a ideia de que precisava de um árduo trabalho para escrevê-lo. Foi sempre assim. Durante dez anos foi como no primeiro dia.

A não ser pelas primeiras palavras, sumárias e quase distraídas, com as quais ficaram resolvidas as questões práticas, a segunda entrevista foi uma repetição da primeira. As mesmas palavras, as mesmas frases, as mesmas voltas e, é claro, as mesmas intenções. Por uma deformação profissional, Perinola tomava por garantido que as pessoas nunca diziam a mesma coisa, ainda que não tivessem nada de novo para dizer. Era a escrita que fixava o que era idêntico, uma só vez, enquanto na linguagem oral reinava a variação, e o sentido surgia da diferença. A repetição exata que Parmênides estava desdobrando parecia a ele uma magia demente, algo nele resistia a crer que aquilo estivesse acontecendo de verdade. Embora, pensando bem, não tivesse nada de estranho: se a gente continuava sendo igual, e pensando a mesma coisa, por que não ia dizer a mesma coisa? Estranho era, na verdade, aquele escrúpulo de escritor de variar as formas, inutilmente. Ainda assim, era um espetáculo fascinante, ligeiramente alucinatório. No ardor da expressão, Parmênides não devia perceber que ao proclamar as mesmas frases do dia anterior adotava o mesmo tom, fazia os mesmos gestos, as mesmas pausas nos mesmos pontos.

E o que ele dizia? Bom, aí não era surpresa que dissesse a mesma coisa que no dia anterior, ou seja, para efeitos práticos, nada. Repetia suas intenções de escrever um livro que preservasse o tesouro da sua experiência, que reunisse suas ideias sobre os seres e os fatos do mundo etc. Sempre deslizando por cima dessa experiência e dessas ideias, as quais, no fim das contas, nunca disse quais eram.

O mesmo aconteceu na terceira reunião e na quarta e na quinta... Perinola começou a se desesperar, mas o mecanismo era inflexível. A superfície ganhava a partida todas as vezes. Planejava estratégias para levá-lo a um terreno mais concreto, e sempre falhavam. Era como se uma espécie de magia interviesse, mas evidentemente tratava-se apenas da constituição mental de Parmênides, irredutível à tarefa de pensar no que havia dentro das formas. Perinola perguntava a ele, simulando um intenso interesse (que na realidade tinha), como ele gostaria que a matéria do livro estivesse organizada; o que realmente ele queria saber era de que matéria tratava, mas não perguntava isso, por delicadeza, para não colocá-lo em apuros; essa tática indireta talvez fosse mais eficaz. Parmênides, encantado com a pergunta, se precipitava em responder: queria que os assuntos fossem procedendo encadeados, não soltos e fragmentários, como eram os dos outros tratadistas; queria que houvesse uma lógica que levasse um assunto a outro e que as transições se fizessem imperceptivelmente... Enfim, podia continuar falando disso até a boca secar, sem dar a mínima pista dos assuntos ou temas.

E em que ordem colocá-los, insistia Perinola com astúcia, sendo todo ouvidos.

Esse ponto também tinha sido bem pensado, ou era improvisado sem a menor vacilação. Era preciso ir do maior ao menor, dos temas mais inclusivos aos mais incluídos, do visível ao invisível, do fácil ao difícil... Ou vice-versa. Na realidade, a ordem geral não importava na medida em que o particular estivesse bem pensado.

Isso estragava a pergunta seguinte que ele tinha preparado, mas a fez de todo modo: com qual começar?

Com qualquer um. Tudo no mundo e no tempo poderia ser um bom ponto de partida, porque as cadeias de causas e efeitos começavam e terminavam em todo lugar.

Cansado e confuso, Perinola modificava a direção do ataque e o interrogava não mais pelos conteúdos e sim pelas formas, com a vã esperança de que Parmênides, que ao querer falar dos conteúdos falava das formas, ao falar das formas deixasse escapar algo sobre os conteúdos. Queria-o, no nível da difusão, para um público amplo ou mais elevado? Dividido em capítulos ou como um discurso contínuo? Em prosa ou em verso?

Esforço inútil. As respostas se estendiam mais do que nunca, portadoras de mais convicção, mais segurança, mais vontade. Queria-o conciso, sem se alongar desnecessariamente, sem repetições (a não ser quando fossem necessárias), interessante, sem ênfases, leve (embora não ao ponto da frivolidade), sério sem enrijecimento, natural, convincente sem artimanhas retóricas, convincente pela mera força do raciocínio e que, ao mesmo tempo, não mostrasse o esforço para convencer... Podia ser inesgotável, tinham que interromper porque já era noite fechada e Perinola ia embora em jejum, como tinha chegado.

Às vezes ele arriscava introduzir, por conta própria, alguma ponta de conteúdo, a modo de exemplo e simulando que o fazia somente para ter uma ideia mais clara dos aspectos formais. Quando o outro lhe expunha a necessidade de ir do maior para o menor, interrompia-o concordando, como se falasse consigo mesmo:

"Claro, 'do maior para o menor', ou seja, do Reino Animal para as cabras..."

Ou, quando se tratava de encadeamentos causais:

"Mmm... Sim, entendo. Por exemplo, relacionar as doenças que os escravos sofrem com a queda na produção."

Ou, falando da concisão:

"Concordo. Ao falar do clima, seria necessário se limitar às variações das estações, em vez de se demorar nos signos que anunciam cada fenômeno..."

Eram socos no ar, ao acaso. E os resultados eram nulos, na medida em que a única e invariável reação de Parmênides era uma aceitação instantânea e total, na qual Perinola detectava um certo desinteresse, como se estivesse dizendo "isso é coisa sua; você se vira".

O pior é que essa bruma, que tinha cara de definitiva, vinha acompanhada da impaciência própria do caráter expeditivo de Parmênides. Certas coisas que ele dizia em algum momento revelavam que ele considerava dias, e uns poucos dias, como o prazo para que o livro estivesse escrito. Perinola temia, com um calafrio, que uma noite ele dissesse: "Traga-o pronto amanhã". Queimava os miolos pensando se ele não teria dito em algum momento do que é que o livro devia tratar e, estando distraído, ele não tinha entendido. Tudo podia ser um grande mal-entendido...

Mas não. Bastava se tranquilizar um pouco para ver uma realidade menos alarmante, e perfeitamente explicável. Se Parmênides não falava sobre os conteúdos era porque não sabia quais eram, e nunca tinha pensado nisso. Queria um livro, um livro assinado por ele, um livro seu, com suas ideias, e chegava até aí o que sabia. Quais eram essas ideias era uma pergunta que já estava do outro lado. Não havia nada de estranho na situação, porque todo mundo acreditava ter ideias valiosas e pessoais, e ninguém se incomodava em examiná-las ou se perguntar que ideias eram.

Às vezes surpreendia Perinola recebendo-o com uma pergunta urgente, cuja resposta não podia ser adiada:

"Quero lhe fazer uma consulta sobre o livro. Que tal se...?"

Perinola ficava tenso, o coração palpitava de expectativa, acreditava que enfim se abririam as comportas dos temas. Mas não era assim. A consulta se referia infalivelmente a algum assunto externo ou posterior à escrita, isto é, ao livro já escrito e acabado, tornado objeto. Em que material fazer as cópias, como apresentá-lo, quantas cópias mandar fazer inicialmente e a quem dá-las a ler. Seria bom fazer um ato público para apresentá-lo? Ele já tinha pensado na lista de convidados. É claro que ele diria umas palavras, mas quem mais poderia falar? Não queria uma série interminável de discursos, melhor uma coisa breve, informal... Para Parmênides, o livro já estava feito, não em processo de feitura. Mas esse processo ainda nem tinha começado, e no passo que iam não começaria nunca!

Ou era Perinola quem não estava encarando o assunto direito? Como todo intelectual confrontado com uma questão intelectual, ele tinha muita dificuldade para tomar distância e ver o problema "de fora", nos seus dados reais e objetivos. Essa devia ser a raiz da falta de comunicação. Pois Parmênides era um não intelectual nato (o que não queria dizer que não fosse inteligente) e, numa perfeita inversão simétrica, não conseguia ver o problema "de dentro", não conseguia nunca reduzir a distância que o separava do objeto. Pois bem, vista objetivamente, a situação era a de um homem rico e ocupado contratando um escritor para escrever um livro para ele. Não estava claro o suficiente? Escrever um livro implicava também pensá-lo, encontrar sua matéria, seus temas. Na realidade, ninguém tinha dito a Perinola que sua função seria apenas escrever sobre uma matéria ou temas predeterminados. Quem sabe as palavras de Parmênides o tivessem levado a acreditar nisso, mas se ele tinha acreditado realmente, a culpa era dele. Mais uma vez a falta de predecessores jogava contra ele. Assim como precisava inventar tudo nesse ofício novo, talvez precisasse inventar tudo no livro.

3

ENTRE A TERCEIRA E A QUARTA REUNIÃO, Perinola tentou começar a escrever o quimérico livro de Parmênides. Não tinha a mais vaga noção de quais temas supostamente deveria abordar, mas não perdera a esperança de averiguá-los. A suspeita de que Parmênides os ignorava tanto quanto ele, embora já tivesse surgido na sua mente, continuava parecendo fantástica demais. A própria experiência de escritor o fizera acreditar que era impossível alguém querer escrever um livro, um livro determinado, e pôr as mãos na massa (nem que fosse contratando um secretário ou amanuense) sem ter decidido do que trataria. Também não conseguia acreditar que Parmênides estivesse ocultando deliberadamente isso dele, por algum motivo, como o temor de que roubasse suas ideias. Muito pelo contrário, Parmênides dizia a ele tudo o que lhe passava pela cabeça; nada parecia mais alheio a seu caráter e a suas intenções do que lhe ocultar alguma coisa. Com a perplexidade que a situação produzia nele, Perinola teve a ideia de escrever algo, qualquer coisa, como um ponto de partida. Diante de um texto concreto, Parmênides não teria outro remédio a não ser se tornar concreto, dizendo se era isso o que ele queria ou não, e então ele teria no que se apoiar. Era um passo arriscado, mas ele temia que a abstração na qual as conversas se sucediam acabasse desanimando Parmênides e o fizesse perder o emprego. Como todo ser dotado de imaginação ativa, Perinola se adiantou no tempo; já estava gozando do salário que ganharia e, no seu íntimo, tinha organizado sua vida futura a partir desse dinheiro, de modo que seria uma catástrofe perdê-lo.

Além disso, uma vez tomada a decisão, começou a vê-la como a opção mais lógica. Tanto que se perguntou se não estivera exagerando com suas pretensões e temores, exagero que bem podia pôr na conta da sua laboriosa fantasia. Afinal, Parmênides lhe dissera muitas coisas: superficiais, desconexas, vazias, mas evidentemente ele era assim, e seus projetos não podiam ser diferentes. Talvez, inclusive, ele mesmo soubesse disso, porque nem sempre somos cegos aos nossos próprios defeitos, e por isso o contratara.

De modo que naquela noite, depois de pôr os filhos para dormir, sentou num canto e começou a escrever. Antes de começar, nesse momento de suspensão em que tudo é possível, até desobedecer a musa, perguntou mais uma vez (e dessa vez a si mesmo): escrever... o quê? Foi como se a velha pergunta ganhasse pleno sentido pela primeira vez.

Foi um instante: no seguinte, já estava escrevendo, e não se deteve mais por duas ou três horas. Foi um trabalho sorridente, intercalado com risadas, que precisou conter para não acordar a família. Não porque fosse cômico o que escrevia: era sério, mas ele não escrevia a sério; cômica era a situação. O sorriso também refletia a facilidade com que os versos saíam, uma emissão fluida, quase automática, que parecia ser capaz de continuar indefinidamente. De certo modo, era um regresso da musa, pela via indireta da personagem adotada ou da voz alheia. Talvez devesse tê-la procurado ali desde sempre.

Porque o que estava fazendo, e o que supunha ter que continuar a fazer durante meses, era assumir a voz e o pensamento do "autor", quer dizer, Parmênides. Pois bem, era esse justamente o problema: ele não sabia o que esse pensamento continha. Mas apesar disso descobriu que podia assumi-lo. Tinha a máscara, e a colocava, e a máscara arrastava todo o resto. A "máscara" eram os gestos de Parmênides, o timbre da sua voz, o seu modo de falar; não era difícil entrar no personagem, porque o tivera no primeiro plano da sua mente em cada momento desses três dias, desde que o conhecera. E se o "estilo" exterior de uma pessoa é expressão do pensamento, este pode ser deduzido daquele.

É claro que essas magias não funcionam na prática, embora baste estar convencido da sua eficácia para que funcionem. Funcionou para Perinola, nos modestos limites a que se propôs. Na realidade, ultrapassou esses limites.

A matéria vinha sozinha. A intenção era escrever algo, qualquer coisa, apenas o necessário para arrancar de Parmênides algum detalhe. Quanto antes lhe apresentasse isso, menos perigo haveria, pois se não estivesse alinhado aos desejos dele, poderia culpar a imaturidade da iniciativa, o mal-entendido, a sutileza ou a transcendência do projeto. E quanto antes soubesse quais eram esses desejos e esse projeto, mais cedo poderia pôr-se a trabalhar no caminho certo. Recriminou-se por não ter feito isso antes, depois da primeira reunião, em vez de perder tempo com suas manobras de extração, que tinham fracassado.

Em condições normais, escrever "qualquer coisa" não era tão fácil, como comprovara mais de uma vez. A escrita impunha uma determinação, e a vaga promessa de "qualquer coisa" se desfazia entre as mãos, sua liberdade se revelava ilusória. Neste caso, apesar de tão especial, a situação era a mesma. Mas foi aí que se deu conta de que não estava tão desprovido de tema: tinha o Universo, e as coisas e as criaturas e suas relações e conflitos. E muito mais; tudo cabia de maneira verossímil no que ele poderia ter entendido que Parmênides queria pôr no seu livro. E se parecesse exagero, ele dispunha de um bom guia para se limitar: sua estratégia de busca de informação. De fato, não se tratava de impressionar ou transmitir um conhecimento, mas de produzir um efeito muito preciso, que era o de fazer Parmênides dizer: "isso sim, isso não". (E mesmo que ele dissesse não para tudo, isso também seria útil, porque a área a tratar se definiria.) Com esse efeito em mente, pôs mãos à obra.

Começou com o Universo, quer dizer, o Todo, para estar certo de não esquecer disso depois. Vasculhou na memória alguma coisa que pudesse dizer a respeito, e vieram algumas dessas teorias engenhosas e provocativas que vinha ouvindo desde pequeno, e que não tinham defeito maior do que valerem tanto quanto sua negação. Não valia a pena pensar de qual gostava mais;

embora não quisesse recorrer às mais batidas. Pôs algo assim "o Universo é feito de Luz e Escuridão", o que era bastante neutro.

Claro que não deveria ficar só em generalizações ou não alcançaria seus propósitos. De modo que, em seguida, passou a concretizar: a luz vinha do Sol... Pareceu-lhe idiota demais e esteve a ponto de riscar, mas se conteve; a ideia não era ficar melindroso, mas escrever. Além disso, podia justificar o Sol completando o catálogo de corpos celestes, e anotou a Lua, as estrelas, a Via Láctea e, aproveitando, o espaço que os separava: o éter. E a Terra, como poderia esquecê-la, afinal dava o gancho para passar às coisas que havia nela.

Assim continuou. Não se preocupava muito com o que dizia de cada elemento que introduzia, porque isso justamente sairia dos comentários que surrupiaria de Parmênides. Por enquanto, colocava lugares-comuns mais ou menos inofensivos.

Num pastiche, por mais deliberado que seja e por maior a distância tomada por quem escreve, é inevitável que se intrometam ideias do autor, ideias que ele poderia reivindicar sem ironia. Aconteceu com Perinola quando, para rechear, escreveu que na luz pode não haver escuridão, mas na escuridão sempre há luz. Talvez não pudesse chamar isso de "ideia" propriamente, porque não se baseava em nada e não podia ser sustentada por razões. Ainda assim, era muito sua. Gostava da assimetria apresentada, e gostava de que, no próprio movimento desse desequilíbrio, trouxesse sugestões de iluminações obscuras e secretas, ocultas nas dobras da noite. Houve mais algumas coisas como essa, mas não muitas.

Da Terra, mencionou os objetos inertes e os seres vivos. Havia mais alguma coisa? Certamente, mas não pretendia ser exaustivo. Também não pretendia ser original, então igualou tanto os objetos quanto as criaturas num mesmo processo de aparição, subsistência e desaparição. Todos lugares-comuns. Aos poucos foi perdendo o medo do óbvio, penetrando-o com uma deliciosa sensação de liberdade. Para se aproximar desse utópico estado de espontaneidade de "qualquer coisa", não havia outro caminho além do lugar-comum e do óbvio. Mas um justificado temor de cair numa neutralidade excessiva o fez introduzir aqui e ali algumas estranhezas idiossincráticas, para que chiassem no meio do rumor monótono dos estereótipos e despertassem Parmênides do seu cochilo tagarela, obrigando-o a se definir. Pôs, por exemplo, que o nascimento era cruel e a morte benévola, e que os seres vivos estavam montados com membros "móveis"... Ele mesmo se perguntava o que teria querido dizer, e esse foi um dos motivos das risadas que marcaram a tarefa.

Em certo momento, percebeu que o que estava fazendo era uma enumeração e nada além de uma enumeração. Embora o propósito fosse mais ou menos esse, vale dizer, apresentar um catálogo de objetos entre os quais seu patrão pudesse escolher, não gostava das enumerações, a não ser como recurso usado parcimoniosamente no meio de um texto bem estruturado. Enumerar tinha um quê de trabalho prévio, de anotação, e essa escrita que fazia tinha por finalidade sair do que era prévio, não perpetuá-lo. Pois começava a entender que a vagueza dos propósitos de Parmênides, somada a seu caráter ansioso, o faria se envolver com o primeiro formato posto à sua frente, e a honestidade profissional impedia Perinola de envolvê-lo numa coisa tão primitiva como a enumeração.

Mas, é claro, quando viu o que tinha escrito, percebeu que não seria tão fácil encadear. Ou melhor, seria fácil demais, porque toda enumeração é um relato em potencial, e basta dar uma função ativa a alguns elementos, e se remeter a outros como objetos auxiliares e adversos, para que a história apareça. Mas ainda não era o momento das histórias. Isso ficaria para o final, e só se Parmênides quisesse. No presente estágio, elas podiam fazer toda a manobra falhar, porque se houvesse a mais leve sombra de uma história no texto apresentado a ele, Parmênides não veria nada além disso e as suas delicadas iscas temáticas se perderiam.

De modo que tinha de inventar uma história que não fosse história. Apesar da aparente contradição, isso não tinha muito mistério. A maioria das histórias não eram histórias. Ele achou que o mais simples era enlaçar umas coisas com outras a partir de uma vaga proclamação de conhecimento. "Você vai saber isso, e quando souber isso saberá aquilo outro..." Desse modo tematizava o próprio encadeamento; aí havia uma brincadeira secreta, porque quem se propunha a saber era ele mesmo, e o texto era sua ferramenta.

Esse recurso dava ao texto um ar muito adequado de apresentação ou introdução. Só nesse sentido era possível levá-lo (moderadamente) a sério. Embora no fundo continuasse a ser uma grande piada. "Você vai saber isso...", "Vai saber aquilo outro...", e eram todos os lugares-comuns hiperconhecidos pela humanidade desde o começo dos tempos.

A metade das decisões (ou três quartos, ou todas) era tomada pela versificação. Escreveu em hexâmetros, que saíam naturalmente; de fato, a versificação era o seu forte, e contava mais com ela que com qualquer outra coisa para impressionar Parmênides e subordiná-lo a seus serviços, pois não poderia prescindir dele, se é que ele aceitaria que escrevesse em verso. Mas ele aceitaria; era dado como certo e nem sequer tinham falado sobre o assunto.

As exigências de métrica e de acentuação iam lhe ditando as frases. O verso tinha essa vantagem incomparável: se soava bem, tudo bem, e podia-se esquecer do sentido, que surgia de qualquer jeito. Além disso, as inevitáveis torções às que submetia o discurso criavam dificuldades intrigantes e ambiguidades, com as quais até mesmo essa ladainha de lugares-comuns soava profunda e misteriosa.

E como se não bastasse, os hexâmetros asseguravam a continuidade. Realmente parecia que de uma coisa saía outra; ninguém se daria conta de que eram incoerências acumuladas pelo capricho ou pela astúcia. O som lhes dava um ar de continuação difícil de desmentir.

Que absurdo, pensava Perinola sem que os versos deixassem de brotar (sozinhos, como por iniciativa própria), escrever estas coisas em verso. Não é mais adequada a prosa? A quem ocorreria versificar as tabelas das marés ou os métodos de extração do ferro? Era uma aberração, e o pior era que todo mundo acharia sublime. Essa era a opinião de Perinola a partir da sua posição de poeta. Fazendo versos desde a infância, tinha descoberto que não queriam dizer nada; e vivendo descobrira que a linguagem servia para dizer coisas. Havia uma incompatibilidade, que era o que o tinha comprometido com a poesia. Porque a poesia, ao não querer dizer nada com o instrumento que servia para dizer coisas, dizia algo, que era ao mesmo tempo alguma coisa e nada. Amava esse enigma, mas estava convencido de que não podia durar. Era extravagante demais. Isso a tornava mais linda. Efêmera, a poesia era uma flor rara que se abrira por acaso, e o milagre quisera que se abrisse justo enquanto ele vivia. No futuro, uma humanidade mais razoável faria bom uso da prosa.

Foi em parte a facilidade automática dada pelo verso que o incentivou a incluir alguns detalhes relacionados a sexo. Supôs que Parmênides gostaria; lhe pareceria moderno, atrevido, picante. Além disso, era outro lugar-comum, e não lhe custava nada adicioná-lo; a ordem dos princípios de luminosidade e escuridão era contínua, por uma correspondência batida, à do feminino e do masculino, as atrações e repulsas dos sexos se refletiam no texto de acordo com as medidas e os acentos do verso, deslocadas (como deveria ser), enigmáticas. O princípio ativo do Amor introduzia suas linhas ondulantes entre a Lua e as estrelas, assim como entre o denso e o poroso. Mais uma vez, como já fizera antes, deu uma volta caprichosa à concatenação de obviedades; a primeira que lhe ocorreu: se as sementes feminina e masculina estivessem na devida proporção, o ser engendrado seria normal e corrente; caso não fossem proporcionais... sairia um hermafrodita. Hesitou por um instante. Não seria demais? Mas ao relê-lo percebeu que soava bem, até solene e admonitório. Não teria lhe custado nada continuar alinhavando indefinidamente os maiores absurdos. Como uma dissimulada alusão, à qual acrescentou que o pensamento é produzido pelo excesso de energia que os membros do corpo não utilizam. Aproveitando, intercalou aqui e ali alguns versos enigmáticos nesse sentido.

Teve que se obrigar a parar. Calculou que teria uns cento e poucos versos, talvez mais perto dos duzentos que dos cem. Não precisava de mais nada. Com isso daria para desatar a língua de Parmênides (numa direção concreta, porque na outra não havia quem a atasse). Antes de ir dormir releu tudo e teve sentimentos contraditórios. Para começar, a espécie de euforia que o animara enquanto trabalhava deu passagem a um sentimento sem nome. Ao ser lido, com a objetivação que a leitura de um texto terminado produzia, perdia o rastro da ironia, das suas manobras em vista da leitura de Parmênides, das suas piadas e dos seus pastiches, e restava um poema como qualquer outro. Por um momento, suspeitou que se saíra bem demais. Será que não tinha se deixado intimidar por Parmênides, por sua riqueza e sua importância? Supôs que na realidade estivera numa posição ambígua ao escrever. Devia escrever besteiras e lugares-comuns na medida do seu empregador, mas ao mesmo tempo devia fazê-lo bem o suficiente para manter o emprego. Tinha a impressão de que sempre que se escreve se está entre duas opções equivalentes.

Nunca escrevera tanto de uma vez só. Isso produziu nele certo mal-estar. Como em todo escritor, nele se aninhavam projetos vagos, aspirações demoradas e sem forma, que em seu pensamento continuavam em sucessivas transformações e se desvaneciam antes de deixar rastro escrito. A vida do escritor era uma vida de sonhos. E por que agora tinha escrito, em pouco tempo, e no mesmo dia em que decidira fazê-lo, um poema tão longo e elaborado, que não era para ele, não seria seu e não significava nada para ele? A resposta era visível: não fez nada além de enfileirar frases feitas e obviedades, não pendia sobre ele a espada do definitivo, não devia se preocupar com as críticas, nem mesmo com a sua. Assim era fácil escrever. Mas não deveria ser sempre fácil? Por que não lhe ocorrera antes um modo mais fácil de fazer isso?

Todas essas dúvidas, e outras ainda que as rondavam como os famosos astros dos conhecidos anéis do éter, surgiam da insólita suspeita de que ele havia escrito uma coisa boa sem querer. A mera ideia era desestabilizadora. Porque não o tinha escrito "a sério". Havia algo assim como a redação de uma armadilha, ou melhor, uma isca. As intenções não tinham sido poéticas nem por um segundo. Mas talvez faltasse a ele aprender isso: as intenções não contavam. Talvez escrever fosse sempre escrever, e a qualidade se decidisse em outra órbita.

Ao chegar a pensar nessa "outra órbita", à qual não conseguia dar nome ou figura, sorriu de novo, e suas preocupações se dissolveram como uma nuvenzinha de fumaça ao vento. E daí! Essa aventura também era um sonho, e depois haveria outros, muitos mais, todos envolvidos no grande sonho da poesia. Assim, apagou a lâmpada e foi dormir.

4

O ESTRATAGEMA ESCRITO FALHOU, como tinham falhado antes os orais, e era o que faltava para Perinola acabar de se convencer de que era inútil. Parmênides recebeu muito satisfeito o fragmento, ainda que sem lhe dar muita importância. Na reunião seguinte estava mais entusiasmado que nunca com o projeto, do qual dizia que agora estava em andamento e não havia como voltar atrás, mas não fez menção nenhuma de ter lido aqueles versos. Se chegou a lê-los, guardou para si suas opiniões. Perinola aguçava em vão os ouvidos. Certa vez, muito tempo depois, ouviu de Parmênides uma menção passageira a quão bem interpretava seu pensamento, embora isso pudesse se referir mais às conversas que mantinham do que àqueles versos. E tampouco poderia se referir a outros, porque não existiam. Durante os dez anos que a relação persistiu, Perinola não voltou a escrever uma linha, ainda que o "livro" tenha seguido seu curso, num plano cada vez mais ilusório, mesmo sem perder nunca seu caráter de iminente. E os pagamentos se sucederam regularmente. Não obstante, antes de começarem, e depois de ter experimentado os versos, restava em Perinola uma última inquietude acerca da continuidade do empreendimento, e dessa dúvida surgiu uma ideia que transformou a sociedade entre ambos os homens. Com efeito, no fim da quinta reunião, que como as anteriores transcorrera no Fórum, ele fez uma proposta a Parmênides: já que teria que escrever sobre suas ideias, e essas ideias tinham nascido da experiência, não deveria ele lhe contar alguma coisa da sua vida e da sua carreira? Vacilou antes de dizer isso, de tão óbvia que a manobra para ganhar tempo parecia, mas o que vinha ouvindo se repetia tanto que não conseguia acreditar que o próprio Parmênides não acabasse se entediando, e na impossibilidade já definitiva de realizar o trabalho, não lhe restava outro remédio.

Como a todas as outras propostas, Parmênides assentiu com um entusiasmo sem restrições. Não só achava boa, como não pedia mais nada. O tom da sua aceitação implicava um "finalmente começamos a trabalhar com firmeza", embora não tivesse demonstrado a menor impaciência antes e pudesse ter continuado com a conversa pra boi dormir para sempre. Disse a ele que deveriam se reunir num lugar mais tranquilo, onde não fossem interrompidos a toda hora (ainda que nas cinco longuíssimas conversas que haviam tido até então não tivessem sido interrompidos nenhuma só vez), e combinou na sua casa. No dia seguinte, porque não podia esperar.

Assim como nos salões do Fórum, a primeira impressão causada pela casa particular de Parmênides foi decepcionante. Era luxuosa e grande, mas tudo nela parecia novo e disposto ao acaso, nem mesmo destinado a produzir um efeito. A luz e o ar entravam por toda parte, e parecia difícil conceber que fosse possível viver ali. Supôs que no fundo dos corredores que vislumbrava, com paredes cobertas de feias pinturas mitológicas, haveria quartos e aposentos mais acolhedores. Mas nunca entrou neles, então permaneceram um mistério. Os escravos desapareciam por passagens entre colunas. Eles sentaram e, quase imediatamente, ficaram em pé de novo. O dono da casa queria apresentá-lo à sua mãe, uma mulher alta, magra, loira, ainda jovem, que havia sido rainha. Ela o cumprimentou com cerimônia, intimidada. Atrás, uma jovenzinha muito loira com uma criança no colo: era a cunhada de Parmênides, a esposa do seu único irmão, muitos anos mais novo que ele. E ainda outra mulher, cujo parentesco não entendeu bem. As apresentações se prolongaram porque Parmênides mandou chamar seu filho, um menino de uns dez anos, de aspecto e modos bastante selvagens. Estavam envolvidos nisso quando o irmão do dono da casa chegou para buscar a esposa.

Perinola tentava se comportar com naturalidade, e até conseguia, mas estava perplexo. Parmênides aparecia para ele com um aspecto novo: sorridente, doméstico, ingênuo. Tudo o que ele já tinha suspeitado, e visto, nesse ambiente se potencializava. Apresentava-o a todos como "o famoso poeta" e todos assentiam como se soubessem da sua fama. O famoso poeta que colaboraria no novo rumo literário da sua vida... Não fazia segredo nenhum do seu projeto de escrita, pelo contrário. De fato, já tinha lido para eles o que Perinola escrevera e todos disseram ter achado importante, inclusive insinuavam que tinham achado importante demais para suas mentes de escassa preparação intelectual. Os comentários de Parmênides, na presença dos parentes e depois também a sós com Perinola, eram do tipo: "logo vão entender, para isso empreendi esse trabalho, para dividir as luzes do saber com todo mundo, essas são as satisfações que espero obter desse esforço, e lamento não tê-lo empreendido antes" etc. etc. etc.

Perinola pensava: "essa é uma das tantas diferenças que nos separam". Porque efetivamente, para ele, escrever sempre tinha sido uma atividade privada, quase secreta, a qual jamais lhe teria ocorrido discutir em família. Mas era uma diferença que ao mesmo tempo que os separava os unia, pois os tornava complementares, assim como acontecia com todas as suas outras diferenças.

Só não conheceu a esposa de Parmênides, pela simples razão de que o casamento tinha se dissolvido pouco tempo antes. A informação surgiu quando os dois começaram a conversar sozinhos. Parmênides se despediu das mulheres e crianças, e do seu irmão, com um decidido "Ao trabalho!", esfregando as mãos. Sentados outra vez cara a cara, explicou, não porque Perinola tivesse perguntado nada, mas por iniciativa própria, que estava separado. Apesar da separação, da qual não especificou as causas, a esposa continuava sendo uma mulher importante na sua vida. Tanto que a dissolução do vínculo não era definitiva. Estavam dando um tempo, refletindo, se perguntando se não teriam se enganado ao tomar a decisão. Tiveram que chegar a esse ponto para ganhar perspectiva e pensar seriamente no que era melhor para eles. Sobretudo porque havia um filho envolvido; mas não por ele; a partir do momento em que deixaram de estar juntos, começaram a notar quanta cumplicidade tinham construído nos anos de convivência, e quão difícil era recomeçar esse trabalho com outra pessoa. Perinola não precisava falar, e não se atrevia a fazer perguntas, por se tratarem de questões tão íntimas; limitava-se a botar cara de interesse, e devia fazer isso muito bem, a julgar pela escalada de detalhes com a qual Parmênides continuava narrando e explicando.

O estremecimento da separação o fizera repensar muitas coisas da sua vida, na realidade todas: foi uma análise profunda, impiedosa. Bastou tomar esse mínimo de distância para ver até que ponto sua existência seguira um rumo preestabelecido por outros, pelas convenções; o que não tinha nada de ruim em si, já que aproveitava a sabedoria comum da civilização e poupava tempo; o ruim era tê-la aceitado sem reflexão, sem ir às raízes das causas; simplesmente tinha se deixado levar. As responsabilidades que caíram sobre ele desde a primeira juventude eram uma boa desculpa. As obrigações públicas, e as particulares dos negócios, haviam tirado o tempo de ficar com a esposa e o filho, e ao mesmo tempo a intimidade familiar, com sua aparência de desgaste biológico, o distraíra do pensamento. O resultado foi um círculo vicioso que deslizou pela superfície e ameaçou devorar sua vida inteira. Faltava alguma coisa e só agora descobria o quê: escrever. Não tinha nada de específico para recriminar à esposa, mas era uma mulher que crescera numa família rica, sua mente tinha um molde convencional do qual não encontrava nenhum motivo para se afastar, e o arrastara, insensivelmente, para uma existência vazia, mas de um vazio cheio, cheio demais. O exemplo mais patente era a casa onde haviam vivido: uma grande mansão que exigia um número excessivo de escravos, com jardins, lago, e nele uma "prancha de nenúfares" (descreveu-a com riqueza de detalhes, sem que Perinola tivesse uma ideia precisa dela), com fontes, terraços, bosque e três mil estátuas.

"Três mil?!", exclamou Perinola, com um cortês arqueamento das sobrancelhas.

Sim, três mil, por mais ridículo que parecesse. Isso deveria demonstrar até que ponto o acúmulo de vazio podia preencher, e sobrecarregar, uma vida sem sentido. De que servia ter três mil estátuas? As que trouxera para essa casa eram uma pequena amostra, nem mesmo haviam sido escolhidas, mas carregadas e transportadas ao acaso. Mas voltando ao assunto principal:

Achava que a relação com a ex-esposa podia ser reconstituída sobre outras bases. Era apenas uma questão de virar de cabeça para cima o que estava de cabeça para baixo. Quer dizer: recuperar uma autenticidade de vida e de pensamento que só a escrita poderia lhe dar.

A essa altura, meio afogado no fluxo da conversa, Perinola estava se perguntando se todo esse projeto literário não seria, por parte de

Parmênides, um ato desesperado para se dar uma personalidade mais interessante e recuperar a esposa. Não parecia provável, porque ela devia conhecê-lo demais para se deixar enganar e, além disso, a personalidade de escritor não tinha nada de atraente em si. Mais razoável era supor que a ruptura o deixara com um vazio, que ele pretendia ocupar com um livro só porque o livro foi a primeira coisa que lhe ocorreu; o resto veio a posteriori, eram racionalizações, nas quais por acaso a esposa tinha intervindo. De qualquer modo, essa mulher, ou melhor, seu desaparecimento, estava na raiz do assunto, e isso bastou para que adquirisse aos olhos de Perinola (aos olhos da sua fantasia, porque nunca a viu) uma figura de lenda, como a deusa primordial dos contos, e nesse caráter continuou perseguindo os devaneios de Perinola durante anos, mesmo muito depois de Parmênides tê-la esquecido, até que ele também a esqueceu.

Não chegou a conhecê-la (o casamento não se reconstituiu) e também não voltou a ver os membros da família que conhecera daquela primeira vez. O que na época achou que fosse habitual, acabou sendo muito raro; naquele dia tinha havido uma reunião familiar, quem sabe por causa da sua presença, e não se repetiu, ou se repetiu quando ele não estava. Parmênides morava sozinho, e aquela casa, com sua vasta magnificência, tinha sido pensada como um refúgio de solteiro, provisório. Ainda assim, a família nunca estava ausente, porque ele falava dela o tempo todo. Nas partes da sua história pessoal em que a família participava, tudo era limpo e decente, tudo apresentável. As duas gerações anteriores, tanto pelo lado materno como pelo paterno (os reis ancestrais, assim como os grandes burocratas e comerciantes), eram exemplos irretocáveis de honestidade e senso do dever público e privado. Ele assumia essa herança com naturalidade e podia falar de todos os temas que lhe concerniam com a mais perfeita espontaneidade. Não precisava de algo obscuro para ter uma história completa; certamente porque o que havia de obscuro também se dera com naturalidade e não precisava contá-lo.

Nessa primeira reunião na casa, no pouco tempo que sobrou no final de todos os comentários preliminares, iniciou seu relato biográfico, que não foi reatado no encontro seguinte nem em nenhum outro, mas que foi suficiente para que Perinola fizesse uma ideia que mais tarde foi enriquecendo com informações surgidas ao acaso na conversa.

Do lado paterno, que era o que importava, Parmênides descendia de uma linhagem de prestígio irretocável. O primeiro a chegar nessas terras, pioneiro e patriarca da colônia, fora seu avô, grande sacerdote que estabeleceu paradigmas de perfeição moral e social aos quais os dez filhos homens e os numerosos genros precisaram se ajustar. A fama desse homem se estendera pelo mundo inteiro, colonial e metropolitano; e ele a conservou com uma lendária retidão de procedimento, que parece ter consumido o grosso da sua energia, e ainda que tenha sustentado sua família com dignidade, foi o filho mais novo, o pai de Parmênides, que construiu a fortuna do clã, fazendo isso com uma diligência sobre-

-humana. Seus nove irmãos, assim como seus genros, tinham se dedicado à religião ou à medicina, e todos ocuparam posições eminentes, nas quais honraram o ilustre nome paterno com suas condutas exemplares. Ele, o mais novo, se sentiu desde muito jovem no dever de lhes assegurar um bem-estar material que davam por certo e cujas engrenagens práticas ignoravam. Dedicou-se ao comércio quase desde criança e acabou dominando o tráfico de bens das colônias ocidentais. O nome familiar, já conhecido e respeitado, cobriu-se, além disso, de um matiz de opulência, e uma coisa e outra, o prestígio espiritual e a riqueza, se confundiram. O sucesso não tinha sido fácil, e menos ainda era mantê-lo. O pai de Parmênides teve de trabalhar tanto, tamanhas eram as responsabilidades acumuladas de transporte, distribuição, armazenamento e venda das mercadorias (sem contar que precisou inventar quase do zero esses mecanismos de comércio), que não teve tempo para viver. Às vezes a exaustão o levava à prostração. O alto nível de exigência moral da família o impediu de pegar os atalhos da conveniência e do improviso. Não reivindicou méritos para si mesmo, deixou que as repercussões fossem acumuladas por seu já venerável pai, e também por um de seus irmãos mais velhos, sacerdote, que havia transformado em sócio, puramente nominal, nas suas empresas mercantis.

Por ser o mais novo dos muitos irmãos, e por todos eles terem se casado e formado família, tomou a decisão de permanecer solteiro para cuidar do seu pai. Tinha um senso de dever muito desenvolvido e achava injusto que um homem passasse uma velhice solitária depois de ter criado tantos filhos. Manteve essa decisão até os quarenta e poucos anos, quando se apaixonou por uma bela jovenzinha, rainha desterrada de um dos pequenos estados montanheses das costas vizinhas. Mas antes de se casar, deixou claro para ela que não abandonaria o pai e que, no caso de se revelar, com o passar do tempo, algum tipo de incompatibilidade ou conflito entre nora e sogro, ele conservaria a prioridade dos afetos e as atenções ao pai. Não teve motivos para se arrepender, pois a convivência foi feliz. O primeiro fruto da união foi Parmênides.

Mas não houve mais filhos, e essa foi a única sombra que obscureceu a felicidade desse homem exemplar, que sempre sonhara com uma família numerosa como a do seu pai e a dos seus irmãos. Não culpou ninguém (não era seu estilo) além de si mesmo. Sua entrega fanática ao trabalho se multiplicou, e a tensão que isso produzia nele tornou mais improvável que sua semente desse frutos. Isso demorou catorze anos para acontecer e só então nasceu o irmão mais novo de Parmênides.

De modo que a infância e a adolescência de Parmênides transcorreram como filho único, entre seu venerável avô, sua bela e jovem mãe melancólica e seu pai excessivamente laborioso, sempre sobrecarregado pelas tarefas, sujeito a períodos de exaustão que causavam perdas de memória e depressões. Para uma criança, o espetáculo de um pai em perpétua agonia pelas ocupações só podia criar um sentimento de culpa que foi se exacerbando com os anos. O pai se preocupou em lhe dar uma excelente educação. Como ele não tinha tempo de se encarregar pessoalmente e sua esposa era muito jovem e indômita, contratou um preceptor, um escravo lídio muito letrado que acabou se provando um excelente pedagogo, além de honesto, dedicado e bem educado. Dele, disse Parmênides, tinha recebido o amor pelo saber que nunca o havia abandonado.

Mas o saber, como também não demorou muito para entender, exigia ócio, ou ao menos uma disponibilidade de tempo que se revelou cada vez mais inalcançável. Pois o queimava o desejo de ajudar seu pai e aliviar parte da carga de trabalho que o sufocava. Mal saíra da infância quando lhe fez uma proposta nesse sentido: queria parar de estudar e começar a trabalhar ao seu lado. Embora agradecido e orgulhoso, o pai se negou de forma taxativa: não lhe abriria as portas de seus escritórios até que terminasse seus estudos. Ele não contava com a persistência do jovem, que tomou suas palavras ao pé da letra e começou uma corrida frenética de leituras e cursos com os melhores professores, esgotando antes dos vinte anos o que razoavelmente era possível aprender. Então, sim, não teve outro remédio a não ser integrá-lo a suas empresas, e nisso também o jovem Parmênides queimara etapas. Hoje com o avô morto e o pai gozando de uma feliz aposentadoria, estava à frente das empresas da família, levando-as a uma dimensão tal que tudo o que veio antes, por mais importante que tenha sido, podia ser visto como uma pré-história precária e comovedoramente primitiva.

Por uma lealdade que estava no sangue, fizera do irmão mais novo seu sócio. O carinho fraterno não lhe impedia de ver as diferenças que os separavam. O irmão, filho tardio e mimado, renunciara de saída a competir com esses modelos de dinamismo titânico entre os que tinha crescido. Tinha levado a vida com mais calma, gozando da juventude, e continuava assim, o que não lhe trouxe tantos benefícios, pois era um jovem frívolo e ignorante, embora, apressava-se a esclarecer Parmênides, doce e bom. Ele foi um dos primeiros em que pensou como objeto da pedagogia que pretendia exercer escrevendo. Abrir os olhos dos outros, como ele os abrira. Claro que era um sacrifício: deveria tirar tempo das brechas entre suas ocupações, moderar o descanso, fazer render cada segundo. Mas o fazia com gosto, porque sentia que havia chegado a hora de iniciar a recuperação da sua vocação cultural, esboçada nos felizes ócios da infância, antes de ser capturado pelo trabalho.

Perinola pensava que a cortesia que movia Parmênides a tratá-lo de igual para igual (cortesia perfeita que não desmentiu jamais) o impediu de ver que em matéria de cultura existia uma terceira alternativa ao ócio e ao trabalho, e era a que representavam tanto aquele preceptor da infância como o próprio Perinola: o ócio cultural como trabalho pago.

5

A PARTIR DE ENTÃO, SERIA POSSÍVEL DIZER que nada aconteceu, a não ser o tempo. Passaram os dias, os meses, os anos. O tempo era comum a todos. Não havia nada no mundo que fosse compartilhado com tanta imparcialidade. E, no entanto, era como se transcorresse em paralelo, como se cada um imprimisse nele o próprio curso sinuoso, criando constantemente novas assimetrias. O tempo de Perinola se derramava sobre sua vida, em amplas ondas repetidas. O de Parmênides parecia feito de picos que rasgavam um meio-dia perene. Ainda que ele rejeitasse essa descrição, e qualquer outra, porque do tempo só aceitava dizer que "não tinha". E não faltavam argumentos para isso. Estava cada vez mais ocupado. Essa era uma das contradições que intrigava Perinola. Desde o momento em que proclamara a decisão de limitar as atividades para dar lugar à meditação, sua atividade se multiplicou. Pelas confidências que lhe fazia (e ele não lhe ocultava nada), foi testemunho da ampliação do raio e volume de seus negócios, assim como do crescimento cada vez maior da sua importância como legislador, juiz e oficiante. Não rejeitava nenhuma proposta comercial que lhe faziam, nem oportunidade de somar responsabilidades públicas; e à medida que se tornava mais rico e mais influente, mais oportunidades apareciam, mais propostas lhe chegavam, de modo que ia se formando uma bola sem limites à vista.

Também era o tempo da relação entre os dois. Foi uma relação peculiar, porque seus respectivos mundos nunca se misturaram: o de Parmênides, nos círculos plutocráticos ou sacerdotais, o de Perinola, no reduzido âmbito da sua origem social, de camponeses que se achegavam às margens da cidade, e mais reduzido ainda, e mais constante, o da sua pequena família. Mas essa exclusão mútua os uniu mais e, contra todo precedente, fez nascer entre eles uma amizade e uma confiança que nunca diminuiu. Não obstante, a assimetria se manteve. Parmênides continuava dizendo (e sempre encontrava razões mais sólidas para dizê-lo) que não tinha tempo para nada, que roubava uns momentos para se reunir com seu amigo e falar do livro em processo, mas na verdade seu tempo transcorria e se renovava, ativo e cheio. Já para Perinola, que não fazia nada, o tempo estava suspenso. Assegurado o sustento pelos pagamentos pontuais que Parmênides fazia chegar à sua casa, liberado dos pequenos trabalhos com os quais antes mantivera seu lar, não tinha como perceber a passagem do tempo. Sentia-o vicariamente pelas palavras de Parmênides, que lhe contava em detalhes tudo o que fazia e pensava. Mas nunca participou desses relatos, que aconteciam numa atmosfera que lhe era alheia, nas alturas lendárias de políticos e magnatas onde regia outra lógica; relatos que, além disso, eram perfeitamente gratuitos, pois não tinham nada a ver com o "livro" que motivara o início da relação entre eles. Como mantinha certa distância crítica em relação ao amigo, Perinola não se preocupava em estar vivendo uma vida alheia e não ter uma própria. Pelo contrário, era como se, agora, que não tinha que trabalhar, e tudo estava suspenso, começasse a sentir o que havia de autêntico na existência, seu vazio autêntico.

Diferente da sua esposa, que alcançava o momento de maior vivacidade com o cair da noite, Perinola era um animal diurno. Acordava infalivelmente com a primeira luz do amanhecer e, como a essa hora todos na casa dormiam (as crianças haviam puxado a mãe, não ele), ficava um longo tempo deitado, o olhar perdido no teto, os braços cruzados e a nuca apoiada nas mãos, um joelho elevado e, apoiado nele, o pé da outra perna, contando para si mesmo histórias tolas, mantendo mudos diálogos imaginários (às vezes com Parmênides), deixando passar o tempo num estado de feliz placidez. Quando a primavera chegava, um dia, cedo demais, surpreendendo-o como sempre, porque ele se atrasava a respeito das estações e achava que ainda estavam em pleno inverno, um pássaro começava a cantar, tão madrugador como ele. Permanecia mudo o inverno todo e, quando abria o bico de novo, soltava a mesma musiquinha do ano anterior. Perinola a reconhecia, o que não exigia muita memória. Eram apenas quatro notas (ou cinco?): uma que descia, um tremolo, uma que subia (ou ao contrário); uma pequena frase, mais falada do que cantada, que se repetia com ingênuo entusiasmo, nítida, perfeita a seu modo, recortada sobre uma manhã igualmente nítida e perfeita. E a partir de então se repetia todas as manhãs do longo verão. Na primavera seguinte, quando o surpreendia com seu retorno, na primeira aurora, soava diferente. Não diferente no timbre ou no volume, embora isso também pudesse ter mudado, mas para dizê-lo teria sido necessário um ouvido melhor que o de Perinola, ou uma memória mais precisa. O que parecia diferente era a disposição das notas, como se tivesse acrescentado ou tirado uma, ou duas tivessem trocado de lugar. Fora isso, reconhecia-o, era o mesmo canto, o mesmo pássaro. Nunca teve certeza de que realmente houve uma mudança. Só a notava no primeiro dia, depois ele continuava soando idêntico, todas as manhãs durante muitos meses, até os primeiros frios. Havia mudado ou não? Era um pequeno mistério, que não podia discutir com ninguém. Se pensasse um pouco (e não tinha nada para fazer além de pensar, nessas horas deliciosas de vigília), reconhecia que nada era mais provável que tivesse havido uma pequena mudança. Porque o pássaro tinha de ser diferente a cada ano, mesmo que ele o achasse igual. Era "o" pássaro, seu amigo invisível, que cantava perto da sua casa, e ninguém respondia, nem perto nem longe. Mas tinham que ser gerações diferentes e sucessivas. O canto era da espécie e cada representante dela podia interpretá-lo a seu modo, com alguma variação. Ou não? Com um pouco de atenção ou memória não teria sido difícil decidir, porque esse canto era a simplicidade em si mesma. Um esteta teria se espantado de vê-lo se encantar e sonhar com essa repetição mecânica de quatro ou cinco notas. Não era o canto de um rouxinol, sinuoso e intrincado, nem o desses sutis assobiadores dos dias de chuva, com seus ângulos de cristal. A arte do seu passarinho era primitiva, entediante, apenas insistente, chegando a ser um pouco ridícula. Mas era arte de qualquer modo, a arte da manhã, simplificada ao máximo, e por essa mesma simplificação, por estar recortada como uma figurinha sonora na sua dormência, quem sabe era expressão da felicidade.

Perinola não se considerava feliz. Não sabia por quê. Ao longo da sua vida, ia buscando explicações, e sempre as encontrava, mas precisava substituí-las quando os fatos as desmentiam. Quando adolescente, tinha se achado condenado à solidão: nenhuma mulher o amaria, era tímido, desajeitado, pobre demais, considerava-se feio... Mas um dia se casou, teve filhos, e precisou inventar outra razão: sua mulher não o amava, ou ele não a amava; não tinha viajado; sua juventude estava passando sem deixar lembranças valiosas. Nada se sustentava a ponto de lhe dar razão. Tinha estacionado no tema da pobreza, na preocupação perene de alimentar sua família no dia seguinte, e quando isso também se evaporou, graças ao salário generoso e pontual pago por Parmênides, ficou numa suspensão na qual quase não se atrevia a pensar.

Lamentar a falta de viagens na sua vida não era tão frívolo quanto parecia. As teorias do conhecimento da época, às quais Perinola aderia porque não havia outras, concordavam com a necessidade de deslocamentos a lugares estrangeiros para enriquecer a memória. Amparado nela, com a clareza da experiência vivida, topografias e cidades em quantidade e variedade adequadas, era possível incorporar a cada detalhe desses panoramas um dado a mais do saber. Perinola concordava não só pelo respeito à opinião herdada, mas porque a tinha observado. Os artistas ou sábios sedentários, que também existiam, eram homens de invenção, não de memória, obrigados pela falta de lembranças a criar e recriar sempre os mundos na sua mente.

Talvez esse fosse seu destino. Mas não conseguia decidir que tipo de poeta era. Se a queixa, tão comum aos melancólicos, de "não ter vivido" não tinha muito fundamento, e nunca tem porque afinal de contas todo mundo, bem ou mal, vive, a queixa de "não ter escrito" ele conseguia sustentar, nem que fosse com argumentos mais ou menos complicados. Por um lado, num escritor, esse lamento significava "não ter escrito bem", já que a poesia era uma atividade qualitativa, de modo que era possível continuar afirmando isso depois de ter escrito muitíssimo. No caso de Perinola, estava duplamente justificado, porque não tinha escrito muito, e sim muito pouco. Vivera esperando circunstâncias mais propícias. Desde que aconteceram, graças à milagrosa intervenção de Parmênides no seu destino, escrevia menos; ou melhor, não escreveu nada, a não ser aqueles versos para o "livro" de Parmênides, dois ou três dias depois de conhecê-lo (e isso não contava porque não era "seu"). Mas a espera já era uma forma de poesia. A suspensão se materializava nessa incerteza que o assaltava às vezes durante o dia, durante um dos longos dias de verão, ou em todos: era de verdade, esse pássaro, ou ele estava sonhando? No fundo, sabia que era de verdade, e o comprovava na manhã seguinte. E mesmo assim, o sonho persistia, colorindo o real. Quando ainda estava na cama, os olhos se entrecerravam e um sorriso esticava seus lábios; na sua alma, havia uma espécie de felicidade. Brincava consigo mesmo, e com o pássaro; imaginava-o no centro do palco de um grande teatro, diante de milhares de espectadores, no meio de um silêncio de pavorosas exigências artísticas... e lançando sua cantilena, sua frasezinha, e repetindo-a uma e outra vez. Seu sorriso se acentuava e o levava a uma imagem mais realista: o teatro era unipessoal, o público era só ele, e o pássaro estava dentro da sua orelha, sua memória era um palácio desenhado no ar, e o resultado era novamente parecido com a felicidade, parecido embora não igual, mas onde estava a diferença?

A felicidade sempre tem um quê de antecipação; nunca está exatamente em seu lugar. Às vezes se confundia com a expectativa de ver Parmênides. Não havia grandes motivos para isso, porque se entediava bastante com sua conversa oca, com suas opiniões estereotipadas, com sua segurança de si mesmo. Conhecia-o de cor, como o pássaro. Com ele não podia falar de literatura, e tampouco da realidade: as pessoas seguras de si mesmas e satisfeitas com a vida e com seus pensamentos eram imunes à realidade. E, no entanto, apesar de tudo, gostava de vê-lo, era uma espécie de luxo que iluminava seu dia. Esse sentimento persistiu, em parte porque não se viam com frequência; no final do primeiro ano, tinham estabelecido a rotina de uma reunião semanal, mas ao longo do segundo o mais frequente era que se apresentasse na sua casa um escravo (o mesmo que lhe levava os pagamentos) para lhe dizer que a reunião fora suspensa porque o senhor tinha ocupações intempestivas ou tinha viajado ou iria pescar com o filho. No terceiro e quarto anos essas interrupções se tornaram mais frequentes e prolongadas, e chegaram a passar meses sem se ver (mas os pagamentos continuavam pontuais). Depois houve um paulatino retorno à rotina semanal, que acabou se tornando infalível; nessa época, já era possível afirmar que eram velhos amigos e o hábito não diminuía o gosto de se encontrarem, pelo contrário.

Eram amigos? Perinola não conseguia pensar de outro modo, embora a ambiguidade da situação lhe provocasse dúvidas. Mas a ambiguidade em si não deixava alternativa além da amizade, já que não estavam fazendo nada. Um dia, conversando distraído com Parmênides, escapou-lhe a frase "meu melhor amigo", ao se referir a seu interlocutor. Parmênides deixou passar sem comentários, mas com um sorriso de reconhecimento, muito doce a seu modo, muito íntimo. Na personalidade de Perinola havia alguma coisa de infantil, que não mudaria nunca, e esse traço estendia uma ponte.

Tinha que ser uma ponte longa e necessariamente precária, de um mundo a outro. Havia um abismo entre a família de Parmênides e a sua, não só pela posição social. Perinola na realidade não tivera família, não conhecera seus irmãos e não tinha certeza de que os tivera, seu pai era um humilde criador de cabras que morreu ao cair de um barranco, a mãe, fugitiva... Enfim, ele preferia não pensar no assunto. O pouco que sabia preferia manter em segredo; sua ideia de família era o segredo, por isso a de Parmênides, na qual tudo estava exposto à luz do dia, lhe parecia tão estranha e afastada, embora compreendesse perfeitamente seus mecanismos e seu funcionamento. Era outra assimetria, a seu modo complementar; a partir da linguagem do silêncio e do segredo ele conseguia compreender o que era dito; a partir do que era dito (e com que insistência!) era impossível entender as intrincadas dobras do silêncio. Certa vez lhe ocorreu que a isso poderia ter se referido ao escrever que na escuridão sempre há algo de luz, e não o contrário. Ao escrever isso, naquela noite que retrocedia no tempo, fizera-o porque sim, para completar um verso, por gosto pelo absurdo. E, no entanto, o sentido apareceu. Não era a primeira vez que isso acontecia. Aconteceu com quase tudo que escrevera aquela vez. Era como se, dado o tempo suficiente, os fatos da vida pudessem criar o sentido de qualquer combinação de palavras.

Em outra época teria atribuído isso à magia criadora da poesia. Agora o enxergava antes como ilusão teatral, como a atualização dos textos em cena, e o "sentido" apenas como os fatos que se sucediam no real e nos quais ressoava algo escrito em outro momento, ao acaso. E, de fato, a impressão geral que o dominava diante de Parmênides era que estava atuando. Quando estava com ele, na casa dele, se sentia confortável e à vontade; era como entrar num papel que conhecia bem e que parecia feito sob medida para ele. Era na hora de sair, ao olhar o céu e a rua e as árvores e as pessoas, ao empreender o caminho para casa, que sentia a distância que se abriu entre realidade e realidade; uma realidade subsistia na outra e as duas balançavam diante dele. Era um sentimento de irrealidade, bastante justificado porque ele tinha entrado num círculo social e histórico alheio sem ter feito nada de especial, por puro capricho de Parmênides, e sobretudo porque estava fazendo um trabalho que não era um trabalho, escrevendo um livro que não estava escrevendo, e que mesmo se fosse escrito, não seria escrito por ele (e por quem, então?). Tudo era irreal e, embora pudesse parecer insustentável e até angustiante, continha também um elemento de liberdade como nunca conhecera antes, que ele julgava muito poético. Dizia a si mesmo: "estou vivendo a poesia". Devia ser por isso que não escrevia. Cumpria-se, por um malabarismo torto, algo que notou desde o começo: a diferença básica entre a personalidade dele e a do seu amigo consistia em ele ser um intelectual típico que precisava pensar cada coisa antes de pôr em prática, pensá-la tanto que não a realizava nunca, enquanto Parmênides era o típico homem de ação que queria ver as coisas feitas e encaminhadas agora mesmo, sem dar tempo para pensá-las. Os dois encarnavam esses tipos clássicos quase com exagero. A lógica indicava que podiam (e deviam) se complementar. Mas a vida nem sempre obedecia à lógica, e o resultado dessa complementação foi uma obra infinitamente adiada e um feitiço geral de espera.

6

ENQUANTO ISSO, PARMÊNIDES NÃO ESQUECIA seu projeto, e toda vez que se reuniam o trazia à tona, sempre com a mesma convicção e sempre com as mesmas ideias, e até com as mesmas palavras. Era como se toda vez esquecesse que já tinha dito tudo aquilo antes, redescobrindo-o e expressando-o como uma novidade. É claro que essas "ideias" correspondiam à mesma falta de ideias manifestada no começo: ocorria-lhe, com a felicidade clamorosa de um achado, que seu livro devia ser "conciso", "interessante", "útil" e outros tantos adjetivos que continuavam sem dizer nada dos conteúdos. Às vezes lhe ocorria um novo, por exemplo, "ameno", e então começava a amolar com os benefícios da amenidade e quão nefasta era sua ausência, totalmente compenetrado na necessidade de que seu livro fosse ameno.

Tinha sido assim no primeiro dia; assim continuou sendo. A passagem do tempo não o afetava. Era desses homens tão seguros de si mesmos, tão satisfeitos de ser como são, que não mudam nunca. Parabenizam-se por tudo o que são e fazem, sem excluir sua capacidade de evolução; mas esta, embora real, ocorre ao imutável, não ao cambiante. Perinola, que chegou a conhecê-lo muito bem, não acreditava que fosse mera fatuidade; ele via isso antes como resultado de ele nunca ter precisado se envergonhar de nada, de não ter precisado ocultar nada. Não era a autossatisfação dos tolos, mesmo se parecendo com ela. Parmênides não era nenhum tolo. Nisso havia uma outra contradição intrigante. Contente e satisfeito com quem era, fechava-se sobre si mesmo e, ao mesmo tempo, sentia que lhe faltava alguma coisa e ia procurá-la na literatura. As contradições causavam paralisia, mas, nesse caso, quem se paralisava era a literatura, não ele.

Pois bem, a pergunta que cabia fazer era se o projeto literário tinha começado de verdade. Os anos (cinco, seis, sete) haviam passado e não tinham escrito nada, a não ser aqueles versos de teste que Perinola redigira no começo de tudo. Nunca haviam falado desses versos. Parmênides os aceitara sem restrições, os aceitara como obra dele, como expressão cabal do seu pensamento, mandando tirar cópias e fazendo com que seus parentes e conhecidos os lessem. O que teria visto neles? Pelo que Perinola lembrava (não guardara uma cópia), tratava-se de um acúmulo casual de lugares-comuns e de rípios sobre o Universo e a Lua e a Luz e a Escuridão e o Sexo. Teria ele achado isso "útil", "ameno", "interessante"? Ou será que dava no mesmo? Bastava-lhe que estivesse escrito?

Era assombroso o que ele pagara por essa bazófia. Fazendo a soma dos salários que haviam se sucedido desde então, soma sempre aproximada porque o tempo se confundia, Perinola chegava a cifras que para ele eram enormes. Quem sabe Parmênides, sendo tão rico, não tivesse uma noção clara do valor do dinheiro. Mas tinha sim, ele percebia por algumas observações que ouvira aqui e ali. É claro que os valores eram relativos, porque a cifra "enorme" resultada das contas não ia além do preço de um escravo de qualidade, e, desses, Parmênides tinha um número incontável, sempre aparecendo novos na sua casa. Ainda assim, continuava sendo muito dinheiro, uma chuva providencial de ouro que se derramara sobre um poeta pobre... e sua família. Não era de todo exato que Perinola não pudesse calcular o tempo que estava no emprego, pois tinha um ponto de referência: sua filha caçula, que tinha nascido, lembrava bem, poucos dias antes de Parmênides o convocar pela primeira vez. A bebê cresceu, aprendeu a andar, a brincar, e era uma menina bonita, a favorita do seu pai. Perinola enxergava nela o próprio tempo, em toda a sua beleza e riqueza, o tempo dos anos mais felizes da sua vida. Não sabia se essa sensação de felicidade se devia só à segurança econômica que o emprego lhe dera, ou também ao afeto que sentia por seu empregador. Quem sabe (certamente) houvesse mais alguma coisa, algo seu: eram os anos em que havia amadurecido. Uma coisa dependia da outra. Tivera a tranquilidade necessária para amadurecer e tinha gostado daquilo. Parmênides fizera por ele o que nem a poesia, nem o casamento, nem os filhos tinham feito. Talvez isso se justificasse por ele não ter sido feito para amadurecer de modo convencional, como os outros homens. Seu amadurecimento tinha sido mais uma "minorização". Diante de Parmênides ele se situava como uma criança diante do pai. Eles se gostavam, se respeitavam, confiavam um no outro, mas não podiam exigir nenhuma forma de igualdade. Para outra pessoa a situação acabaria sendo desconfortável ou inclusive humilhante, mas funcionava perfeitamente para Perinola. Era como se sua forma perfeita fosse a de criança, uma criança mundana e inteligente, ao mesmo tempo dentro e fora do mundo adulto. Havia mil chances contra uma de que a vida lhe permitisse chegar a essa forma, mas era o que tinha acontecido, uma sorte incrível.

Essa sorte tinha colaborado para que ele também amadurecesse como poeta. Não porque escrevesse: não fizera isso em todos aqueles anos; nem por um instante tinha sentido o impulso de escrever. Talvez fosse necessário parar de escrever para que sua visão clareasse e suas ideias assentassem. Não teria podido dizer o que essa visão via, nem o que essas ideias pensavam, mas o mundo se revelava para ele todos os dias na sua variedade constante, nas suas passagens e invenções fugazes, e tudo ressoava, como uma poesia.

Por outro lado, ou por isso mesmo, sua relação de minoridade com Parmênides não podia lhe ser penosa, porque ele nunca perdia a lucidez, o discernimento acerca do que eram um e outro. O carinho, embora sincero, não impedia a ironia, nem ela o carinho. Havia uma mistura que potencializava ambos. Tudo estava em jogo na distância que os separava.

Porque, fora os sonhos intelectuais, quem eram Parmênides e Perinola? Um rico e um pobre, sem tirar nem pôr. Um rico e um pobre que sentavam para conversar uma vez por semana, como bons amigos. Para eles, chegou a ser natural e, no entanto, na realidade não era. Perinola não conseguia explicar bem, mas sentia que pobres e ricos nunca se relacionavam, e que o caso deles dois era de uma singularidade sem precedentes. Tinha acontecido por causa do "trabalho", e por suas características únicas; porque não era um trabalho de verdade, mas funcionava como se fosse.

Ocorria-lhe que devia ser a primeira vez na história que acontecia algo assim, e o mérito era de Parmênides, que tivera essa ideia; nessa invenção parecia ter esgotado seu poder criativo; talvez o esgotamento fosse o mínimo que se podia esperar, dada a originalidade insólita do passo dado. Se assim fosse, se Parmênides tivesse plantado um marco no desenvolvimento da humanidade, fizera-o por sua essência de rico. Perinola era o único que estava em posição de ver e apreciar isso.

Podia apostar que ninguém tinha pensado antes na natureza dos ricos. Teriam que ter feito a partir da experiência, e não qualquer experiência, mas a que se dava no plano peculiaríssimo que seu "trabalho" estabelecia.

A diferença entre pobres e ricos era quantitativa; dependia da quantidade de dinheiro que cada um tinha. O dinheiro servia para facilitar a existência, na sociedade civilizada. Supondo a menor quantidade de dinheiro que alguém pudesse ter, ou seja, nada, esse pobre absoluto teria que fazer tudo por si só, e se quisesse chegar a ter um objeto que tornasse sua vida mais confortável, como uma cadeira para sentar, precisaria ir à Natureza buscar a madeira ou a pedra com a qual fazê-la. Se estivesse na categoria dos pobres que possuíam algum dinheiro, talvez pudesse comprar as tábuas com as quais fazer uma cadeira; se tivesse um pouco mais de dinheiro, poderia comprar uma cadeira já feita e pintá-la; e assim sucessivamente até o rico comprar uma cadeira já feita e pintada e decorada e com almofadas, quer dizer, o objeto completo, sem fazer nada. Essa gradação podia se estender, para além das cadeiras e objetos semelhantes, a todas as ordens da vida. Podia se estender aos objetos intangíveis: os ricos compravam a felicidade já feita, sem necessidade de passar pelo laborioso processo no qual os pobres gastavam grande parte da vida.

Parmênides lhe mostrara o modelo do rico que nascera rico, numa família e num meio de ricos, de modo que encarnava essa mentalidade em grau máximo. De fato, ele estava no nível "extrarrico": nem mesmo tinha que se incomodar em comprar a cadeira, porque já a tinha, havia sido comprada para ele por um mordomo. Nele, como exemplar perfeito e extremo, a generalização da compra do já feito se estendia a tudo, sem exceção; incluía até as ideias, que Parmênides achava natural tomar de alguém que as houvesse pensado antes; por que não seria assim, se a vida toda ele tinha comprado tudo já feito até o último detalhe da sua elaboração? Opiniões, gostos, frases, reações: tudo entrava no mesmo fluxo de aquisição pelo qual vieram camas, comidas, roupa, casas.

O que tinha de estranho, então, que ao querer escrever um livro o "comprasse" já escrito? Só que não tivesse ocorrido a ninguém antes. Nesse caso, o mecanismo da sua mentalidade de rico atuara apesar dele, porque se propusera realmente a escrever o livro, embora com ajuda de um escritor profissional; mas sua natureza se impusera sobre suas intenções, obrigando-o a deixar que o outro escrevesse; não podia contemplar o livro a não ser como algo já feito e pronto para a publicação e distribuição. Daí sua passividade, que tanto tinha intrigado e torturado Perinola durante anos.

Simplificando as circunstâncias acessórias, a diferença estava no tempo: os pobres o percorriam passo a passo e completamente, os ricos davam saltos, economizando todo lapso preparatório. O único terreno no qual as duas linhas convergiam, a contínua e a descontínua, era a literatura, para a qual um símile adequado seria o de uma dama rica casada com um homem pobre. Voava diretamente, com asas de libélula, às realidades do sonho, mas chegava a elas graças à laboriosa travessia de caracol que cobria as distâncias palavra por palavra. Mesmo sem a persuasão do símile, era evidente que a literatura participava do feito e do por fazer, não só no seu processo de criação, mas sempre. Ou melhor:

tornava-se evidente agora, graças a Parmênides. O que Perinola entendera como vaidade, ou por irreflexão, ou mera tolice, tornava-se um fato histórico e fundador. Tocava uma origem, e a realizava. No futuro, talvez num futuro muito distante, seria preciso decidir se a literatura era feita pelos ricos ou pelos pobres. Por enquanto, era impossível saber: dependia do caminho que tomasse a evolução do mundo. Persistiria a diferença entre ricos e pobres? Haveria mais de uns ou de outros? Necessariamente, o curso da civilização deveria conduzir a uma abundância maior de ricos; o avanço da civilização era justamente isso: um distanciamento da Natureza e uma quantidade maior de coisas já feitas. Mas é claro que deveria continuar havendo pobres para fazer essas coisas, e talvez mesmo quando as coisas já estivessem todas feitas eles ainda continuariam existindo, nem que fosse para que não houvesse vazios na cadeia da elaboração. E, no coração dessa alternância e coexistência do fazer e do feito, estaria a literatura, ao menos tal como a inventaram (sem querer) os dois amigos.

7

A PARTIR DE CERTO MOMENTO, COMEÇARAM A acontecer coisas na vida de Parmênides. Ou sempre tinham acontecido e só então Perinola começou a perceber? Se era assim, alguma culpa ele devia ter nesse atraso, porque era muito pouco observador; distraído como vivia nos seus devaneios poéticos, ele ignorava o que não lhe diziam. O resto da culpa era de Parmênides, que raramente descia ao terreno do concreto por se sentir tão intelectual e tão profundo na abstração ou na generalização, embora para ele não passassem de banalidades do âmbito público. E se no meio da sua conversa alguma informação escapava por acaso, Perinola não fazia esforço algum para inseri-la num quadro mais amplo.

Além disso, o raio de ação do seu proeminente amigo era tão vasto, abarcando tantos campos diferentes, e tais eram os volumes da sua riqueza e influência, que Perinola se perdia. Afinal de contas, só o que lhe importava era que ele continuasse com os pagamentos.

Ainda assim, lá pelo sétimo ou oitavo ano da relação, ele começou a perceber que Parmênides tinha se tornado muito mais rico e mais importante, e que estava tomando medidas para assumir isso. Um dia disse que tinha decidido se mudar para "uma casa", o que soava estranho, porque ele já vivia em uma, e grandiosa. Pelo tom em que falou, e no qual continuou contando seus projetos (um tom decidido, do tipo "estou falando sério"), ele supôs que havia alguma coisa além de uma mera mudança, algo relacionado com sua situação pessoal ou familiar. O raciocínio parecia ser mais ou menos o seguinte: depois do divórcio, ele tinha se mudado para uma moradia provisória, para um refúgio de solteiro acidental, e ali fora ficando, atento a uma esperança de reconciliação, e uma vez que ela se extinguiu ali permaneceu, só porque lhe faltava tempo e vontade de cuidar das conveniências. De repente, notou que estava vivendo num lugar impróprio para sua importância e seu papel social e religioso. Já era hora de pôr fim a essa situação.

O que ele não disse, mas Perinola não demorou de todo modo a saber, era que a inspiração vinha de uma mulher. A vida sexual de Parmênides devia ser tão intensa quanto seu corpo pedia, disso não restava dúvida. No serviço da sua casa, apareciam periodicamente belas escravas perfumadas sem outra função visível além de deslizar pelos corredores ou sussurrar pelos cantos. Mas também houve indícios de relações mais sérias com mulheres do círculo elegante frequentado por Parmênides, que era muito econômico nas suas confidências; quando dizia a seu jovem amigo e empregado que "não ocultava nada", não mentia, com a ressalva de que se referia a suas opiniões e "ideias", ou seja, à única coisa que considerava digna de ocupar sua língua.

Num desses casos, houve mais do que indícios, pois se tratou de um namoro que deu o que falar ao público. Ela era uma beldade famosa, divorciada também, de andanças muito comentadas. Falou-se em casamento, que em alguns círculos era dado por certo, e o suspense durou cerca de um ano. Apesar de estar tão perto da fonte primária de informação, Perinola também ficou sem saber, certamente porque o próprio Parmênides não sabia. A decisão dependia dele. Ele a chamava de "a raposa" e fazia comentários irônicos sobre a pressão matrimonial exercida sobre ele tanto por ela como pela mãe dela, a "raposa velha". Essa pressão, ele não se enganava, tinha como objetivo seu dinheiro; porque essa dinastia de raposas devia estar em apuros financeiros para manter sua vida pomposa. Não obstante, não a descartou de imediato. Expunha a Perinola suas virtudes: era "divertida", não carecia de inteligência (quem sabe tivesse demais), poderia ser uma boa companheira... Mas ninguém chama de "raposa" a mulher com quem pretende se casar, e, de fato, o namoro não deu em nada.

Depois houve outras. Um dia ele lhe falou de uma princesa etrusca com a qual se sentia "muito à vontade", muito "satisfeito", e parou por aí. Mas depois de algum tempo (foi na época da mudança de casa), a princesa reapareceu na sua boca, passou a ter um nome (Rosetta) e pareceu ter se acomodado seriamente na sua vida. Dela não fez lista de virtudes.

Quando aconteceu a mudança para a casa nova, houve um intervalo das reuniões que durou quase dois meses, e quando o escravo de sempre finalmente apareceu para lhe dizer que seu amo o esperava à tarde, deu-lhe as coordenadas do novo endereço. Perinola, que tinha a síndrome infantil de desconfiar de todas as mudanças, foi com certa apreensão. Mas Parmênides não tinha mudado, pelo contrário: a moldura diferente o fazia parecer mais igual que antes.

A casa não só era muito maior e mais majestosa, mas de um gosto mais refinado, mais ao estilo antigo; havia um verdadeiro salto qualitativo, que fez Perinola abrir os olhos em vários sentidos. Foi nessa primeira ocasião que conheceu Rosetta. Ela estava morando ali e se encarregava da organização da casa. Isso não lhe disseram, mas ele adivinhou. Não a viu muito depois disso. Ela vivia numa ala da propriedade, com uma corte numerosa, e costumava hospedar seus pais, que vinham do Norte para visitá-la, e sua irmã gêmea, casada com um magnata jônio cujas chegadas eram festejadas com festas luxuosas.

Um tempo depois, Parmênides o surpreendeu perguntando que impressão Rosetta causara a ele. Perinola respondeu com algumas frases gentis e cuidadosas, consciente de que se tentasse dizer a verdade poderia parecer exagerado. Parmênides sorriu: a ele não era possível ocultar nada. Disse-lhe que a boa impressão era mútua; Rosetta também tinha gostado dele, e acrescentou que estava procurando um tutor para completar sua educação, com algumas aulas de retórica... Estaria ele disposto a aceitar a tarefa? Teria tempo? Esta última era a pergunta fundamental para sua hierarquia de prioridades, embora não para a de Perinola, a quem parecia tão alheia que a descartou mentalmente e nem mesmo a respondeu. Parmênides tomou seu silêncio como uma avaliação de dificuldade de horário e insistiu: não poderia abrir um espaço nas suas ocupações, uma horinha, um tempinho, uma vez por semana? Não pedia muito, só o que fosse possível, e seria um grande favor... Perinola jamais pensara na questão do tempo; tinha-o todo à sua disposição, sempre o tivera. Como viu que o outro estava falando sério, precisou responder; esteve a ponto de exclamar: mas se eu não faço nada! Conteve-se a tempo. Sim, tinha tempo, encontraria um tempinho, e faria isso com muito prazer. As dúvidas que o fizeram vacilar tinham mais a ver com sua capacidade. Nunca fizera isso, sua própria formação era defeituosa... Parmênides deixou esses escrúpulos de lado. Por favor! Ele tinha capacidade de sobra, sua cultura era universal, e o que sua jovem amante pretendia era apenas uma atualização, um arcabouço mais ou menos sistemático para que a inteligência e a sensibilidade, que ela tinha, pudessem continuar edificando sua personalidade. Isso lhe deu pé para embarcar num longo discurso, que pronunciou com a segurança de sempre, a respeito da evolução desigual dos indivíduos no casamento, causada pela disparidade de atividades; o desenvolvimento intelectual do homem estava submetido às mudanças políticas e culturais da sociedade, enquanto a mulher se fixava nas verdades imutáveis do senso comum doméstico e biológico. Depois de alguns anos, em vez de terem construído uma comunidade de interesses, eram dois estranhos. Terminava na inevitabilidade do divórcio. Resumindo assim seu discurso, que estendia por incansáveis repetições, ele soava bastante sensato. Apesar disso, Perinola, que era quem fazia mentalmente o resumo, se dava conta de que só se sustentava se fosse aplicado a alguém que adquiria tudo feito, tanto o casamento como o divórcio. Para aqueles que deviam fazer sozinhos tanto uma coisa como outra, não era tão fácil nem tão claro; para começar, não admitia resumo algum, nem havia quem o fizesse.

Fato é que poucos dias depois se encontrou pela primeira vez com Rosetta, para estabelecer um plano de estudos. Não tinha mentido ao dizer que empreenderia a tarefa com gosto. Depois de tantos anos sem fazer nada com Parmênides, isso era alguma coisa, alguma coisa concreta. Talvez tivesse mentido, sim, sem querer, ao dizer que não estava preparado, porque, na realidade, como comprovara nos dias anteriores ao primeiro encontro, em toda a sua vida não fizera outra coisa além de se preparar. E se nunca ensinara nada a ninguém, mais tinha para ensinar, porque todo esse potencial tinha se acumulado sem ser usado. Preencheu aqueles dias com longas caminhadas pelo bosque (estava animado demais para ficar quieto), encadeando discursos mentais sobre a poesia e a língua, sobre a História e a Natureza, sobre Homero... Buscava os modos fáceis de transmitir algo difícil. Mas no processo de busca advertia que as dificuldades eram uma miragem, que se dissolvia no contato com uma facilidade superior. Os deuses, por exemplo, que eram a dificuldade suprema, se desdobravam na poesia como um tecido que estivera caprichosamente dobrado, e o que restava eram as marcas das dobras, triângulos e quadrados, uma geometria infantil. Adentrava nas visões que lhe propunham os símiles que inventava, e os símiles dos símiles, até se perder num labirinto que também se dissolvia na transparência.

Rosetta se revelou muito amável, doce, atenta, e não pouco inteligente. Era um prazer conversar com ela. Captava num instante tudo o que ele dizia, e as perguntas que fazia a seguir demonstravam interesse e compreensão. Sua cortesia era perfeita. Mas tudo nela era perfeito. Sua beleza era, efetivamente, sobre-humana e indescritível. Era muito jovem, ainda com um quê de encanto de menina, embora muito alta e com formas voluptuosas. De onde tinha tirado essa desenvoltura, essa fluidez no trato? Era uma coisa que não se adquiria em anos, mas em séculos. Diante dela, Perinola começava a ter uma ideia mais clara dos motivos que levaram Parmênides a escolhê-la, ou a chegar até ela. Rosetta estava em outro nível de aristocracia, pertencia a um mundo de antigos reis, de intrincadas linhagens de poder e sabedoria, de cortes refinadas e cerimônias primordiais. Ao lado dela, Parmênides era um arrivista, um novo rico, e só agora, na recente multiplicação da sua riqueza, e depois de um longo aprendizado social, podia se permitir a aquisição de uma joia como aquela. Até então Perinola tinha visto os ricos como um bloco homogêneo; agora entendia que havia diferenças, superioridades que só se percebiam de dentro. Chegou a se perguntar se não haveria um nível ainda mais alto que o de Rosetta. Talvez sim, mas não conseguia imaginá-lo.

Rejeitava a ideia, que o roçou, de que fosse uma manobra de ascensão pensada friamente por Parmênides. Gostava o bastante dele, e o conhecia muito bem, para suspeitar que fosse capaz de uma baixeza como essa. Mas a ascensão era indubitável, sentia-se ao transpor o umbral da casa nova. Em contraste, as magnificências anteriores viam-se como um ensaio, improvisado e provinciano; a riqueza, a proeminência política, serviram apenas para mostrar que havia um degrau superior, ou melhor, uma mudança de escala, que agora efetuava. A história prévia ficava como um segredo que eles dois compartilhavam, unindo-os mais; por isso, e não só por lealdade ou amizade, Parmênides quis integrá-lo à sua nova vida.

A suspeita de cálculo apenas o roçou, mas mesmo depois de deixá-la de lado, deixou um resíduo melancólico, que continuou no fundo da sua fascinação renovada pela beleza e doçura de Rosetta. Com todo o carinho que sentia por Parmênides, Perinola o considerava incapaz de amar. O amor era uma coisa que se tinha que fazer, era uma das poucas coisas, quem sabe a única, que não vinha pronta. É claro que Rosetta não se ressentiria, nem sequer ficaria sabendo, porque ela também não sabia da existência de coisas que era preciso fazer sozinha. E, pensou Perinola, quem sabe a vida fosse tão compassiva a ponto de não lhes dar nunca a chance de perceber essa falta (com quem mais seria compassiva senão com eles?).

As aulas que dava a Rosetta apresentaram um problema curioso. Nunca fizera aquilo antes. Nunca tentara explicar a ninguém o que era a poesia e como funcionava. Mas passara a vida explicando a si mesmo. Fazia-o cotidianamente, em longos solilóquios com variações. Mas nunca lhe ocorrera que essas explicações se dirigiam a alguém que já sabia, porque giravam no circuito fechado dele mesmo. A bela Rosetta era a primeira a ouvi-lo, a primeira pessoa a ouvir o que ele sempre dissera a si próprio. E sentiu que era impossível que o entendesse. Não porque ele explicasse mal, nem porque ela não tivesse a inteligência suficiente, mas porque essa matéria (a poesia) só se tornava compreensível no círculo redundante do solilóquio. E, no entanto, ela o escutava com atenção, assentia, e seus comentários demonstravam que ela entendia perfeitamente tudo o que ele dizia. A situação tinha um quê de paradoxo mágico. Entender as partes não equivalia a entender o todo, embora o catálogo de partes fosse exaustivo. Os poemas, tanto os escritos como os por escrever, podiam ser compreendidos, mas a poesia continuava oculta, indecifrável.

De todo modo, as aulas não duraram muito; uns poucos meses, e com interrupções por viagens e compromissos. Também havia interrupções durante as aulas: escravos que vinham pedir instruções, familiares, visitas. Rosetta tinha inúmeras obrigações, que despachava com perene calma e eficiência, sem abandonar nunca o sorriso e os bons modos. Elas acabaram definitivamente um pouco antes do casamento. Pois se casaram, ela e Parmênides, celebrando com uma grande festa e uma longa viagem.

O casamento era o resultado lógico do processo, e Perinola o tinha dado por certo. No entanto, nas semanas que o antecederam, Parmênides lhe confiou algumas dúvidas de última hora. Por que seria? Teria temor do fracasso, como já acontecera uma vez antes? Na realidade, não houve confidências muito específicas, e as "dúvidas" talvez não passassem de interpretações de Perinola. Ainda assim não eram pura fantasia; saíam naturalmente de gestos ou palavras de Parmênides, tão desconexas que só podiam indicar uma preocupação secreta. Por exemplo, de repente cortava o jato da sua verborragia, ficava pensativo, olhando para o vazio, e perguntava, do nada, se ele não achava que Rosetta era jovem demais. Ou contava que tinha começado a sofrer de insônia: acordava no meio da noite e ficava se revirando na cama até de manhã; quando começava a adormecer, na aurora, aquele passarinho começava a cantar... Não houve muito mais. Talvez fosse só a inquietação lógica de qualquer homem prestes a se casar.

Os fatos seguiram seu curso. Um ano depois nasceu uma menina. Perinola o parabenizou com sinceridade, pensando na própria filha. O acontecimento teve repercussões de longo alcance. Veio a Eleia uma delegação de reis continentais, para celebrar alianças jurídicas em nome da recém-nascida, e uma comitiva de sacerdotes lacustres e fluviais para ungi-la. Perinola só a viu uma vez, por acaso, quando já tinha dois anos.

Ao longo de todos esses processos, Perinola mais de uma vez temeu que seu novo status afastasse Parmênides do seu já antigo projeto literário. Afinal de contas, o livro não tinha sido escrito, e do jeito que iam as coisas, parecia que não seria escrito nunca. Mas não foi assim. Ele voltava com frequência à sua velha ideia, sempre nova, porque sempre estava no ponto de partida, sempre vazia. Ele também não mudava. Tinha uma prodigiosa capacidade de renovação, uma mistura de esquecimento inocente e memória maníaca.

O jovem poeta, já não tão jovem, começou a se perguntar seriamente por esse "livro" que havia se tornado lendário. Tinha certeza de que se um dia o escrevesse e o levasse a Parmênides, ele o aceitaria como fosse, faria cópias e o difundiria como seu (quem sabe sem sequer lê-lo), e ficaria muito contente como "autor"... Mas que livro? Um livro sobre o quê? Foi a impossibilidade de responder a essas perguntas que o impediu de escrevê-lo. No início, esperou para descobrir, depois desistiu, depois voltou a esperar, em outro plano de espera, e todos os prazos razoáveis já tinham se cumprido.

Ou era outro o motivo da demora? Havia um muito óbvio, no qual não gostava de pensar porque tinha um sabor mesquinho: se o escrevesse, seu trabalho acabaria... Mas isso já não tinha importância. A essa altura, podia confiar na proteção vitalícia do seu amigo. E como o que ele pagara durante todos esses anos estava muito acima das suas necessidades, que continuavam sendo modestas, conseguira poupar, e tinha de sobra para viver muitos anos, quem sabe tantos quantos lhe restassem de vida.

Quando pensava nisso, abria-se diante dele um panorama de devaneio. Porque, além do "livro", outra coisa que tinha sido adiada era a obra de Perinola, sua poesia, a justificativa da sua existência. Então todo o raciocínio se invertia: o "livro" de Parmênides, inexistente em um grau em que poucos livros poderiam ser, era um obstáculo, era como um grande nada que ele não conseguia atravessar. Se o escrevesse...

Claro que nesse ponto voltava para o início: escrever o quê?

Para isso tinha uma resposta: qualquer coisa. Por alguns momentos, pensava que Parmênides simplesmente estava esperando. Nada além disso. Esperava que Perinola escrevesse "qualquer coisa". Mas alguém podia esperar tantos anos, sem dar nenhum sinal de que estava esperando, sem demonstrar nenhuma impaciência? Talvez sim. Não podia descartar isso. Mesmo assim, parecia tão absurdo que não se decidia a fazer nada.

8

TUDO CHEGA, E UM DIA CHEGOU A DECISÃO DE escrever, de surpresa, intempestiva, por acaso. Na realidade, ele não decidiu nada, só começou a escrever. Talvez devesse ser assim. Passava o tempo decidindo escrever, e não escrevia. Tinha uma fantástica capacidade de postergação, e as decisões, mesmo as mais sérias e planejadas, eram parte do mecanismo de postergação. De modo que para fazer isso precisou chegar o momento em que, por estar distraído ou desocupado, pulou a decisão, fez e pronto.

Foi numa tarde em que não tinha nada para fazer. Nunca tinha nada para fazer, mas nesse dia tinha menos. Como estava chovendo, não podia sair para andar. As crianças também não podiam sair para brincar e estavam insuportáveis. Buscando uma posição na qual pudesse exigir um pouco de paz, sentou à mesa e espalhou seu material de escrever. Para tornar isso mais verossímil, e alongar a comédia, escreveu realmente, qualquer coisa, sem pensar, umas palavras ao acaso, com as quais de repente se deu conta de que, sem querer, e mudando-as de lugar, tinha feito um verso. Não significava nada porque era um verso, não uma frase; mas podia completá-lo com outro verso. O sentido, mesmo disparatado, se fez sozinho. De imediato, veio-lhe outro verso à mente, outra meia frase, que completou com um quarto verso, e então lhe ocorreu que, já que havia começado e que estava saindo, podia fazer alguma coisa e levar a Parmênides. Não seria difícil convencê-lo que fez como um resumo das ideias que apareceram no curso das suas conversas. Tudo podia passar por fragmento de um livro que nunca tivera nem nome, nem tema, nem intenção. Além disso, estava certo de que não o leria: aprovaria a priori, pelo simples fato de que estariam em hexâmetros, sem se incomodar sequer em confirmar que os acentos estivessem bem empregados. (Estavam, mas só porque para Perinola era muito fácil; era mais fácil empregá-los bem do que mal.)

Os versos que se acumulavam não faziam muito sentido, ou não faziam nenhum. Melhor assim. Prestavam-se a qualquer interpretação. E não era tão difícil dar um sentido, ou acentuar o sem-sentido de modo intrigante ou sugestivo, precedendo-os com versos que anunciavam alguma palavra ou expressão. Fez isso: escreveu uns versos "anteriores" e depois outros anteriores àqueles, e depois outros que continuavam os que tinha escrito em primeiro lugar. Continuou assim, alternando, escrevendo do centro para o começo e o final. Nunca tinha experimentado escrever desse modo, sempre acreditara que se escrevia numa só direção, começando do início. E talvez realmente se fizesse assim. O que estava fazendo agora se parecia mais com desenhar do que com escrever, e só devia ser possível fazer isso com palavras quando se escrevia sem um sentido à vista.

Mas as palavras (como certamente as linhas de um desenho, em outro plano) tinham sua lógica particular, e o próprio texto começou a criar um sentido. Perinola se agarrou a ele com a maior naturalidade, assim que percebeu que esse "centro" que se escrevera por si só constituía uma descrição, uma cena. Bancou o que vinha depois (e antes), como se tivesse havido uma intenção da sua parte; e na medida em que o assumia, havia mesmo.

A descrição que surgiu era a de uma superfície vazia que se estendia sem limites visíveis... Pareceu-lhe o melhor ponto de partida possível, já que se tratava de escrever "qualquer coisa", pois essa premissa incluía tanto o todo como o nada. A superfície vazia, por estar vazia, não tinha nada, mas também podia conter tudo (melhor do que a que continha "alguma coisa") como iminência ou ameaça. Num segundo nível, não estava descrevendo nada além da própria situação, diante de um patrão que lhe pedia que escrevesse um livro e não dizia que livro queria.

Mas não se demorou pensando em fundos falsos ou alegorias, porque o argumento visível já o arrastava e lhe ditava a continuação. Lembrava, de quando escrevia (e a lembrança lhe trazia a extensão de tempo que passara sem escrever), que sempre acontecia assim: do menor buraco da imaginação podiam sair figuras e palavras sem fim, uma riqueza inumerável pela qual bastava se deixar levar. Essa facilidade sobrenatural desvalorizava um pouco a ideia de trabalho. Bastava tocar o nada com a ponta do dedo para que brotasse o todo.

Isso podia se dever à pressão acumulada durante anos sem escrever, sobretudo porque tinham sido anos em que vivera num clima espiritual de escrita. Na realidade, escrever e não escrever se pareciam muito, essa era a lição que sua colaboração com Parmênides lhe havia deixado. Durante toda a sua juventude, Perinola tinha escrito, tinha escrito muito, e não servira de nada. Desde que começaram a lhe pagar para escrever, não havia escrito nada (não por culpa sua) e tinha ganhado dinheiro, tinha ganhado um amigo, sua vida mudara para melhor, com todos os benefícios que antes esperava da escrita. De certo modo, não o fazer era fazê-lo de verdade, na realidade. A explicação desse paradoxo devia estar no estatuto ambíguo da literatura a respeito do mundo real.

Seja como for, a "superfície vazia" que ficou no começo (ou seja: no centro) do seu esboço estourou em evocações e devaneios, como uma planície do país dos sonhos, por onde corriam as bestas invisíveis das formas. Era o alvo, o vazio, que recebia tudo, e continuava sendo nada. Eram tantas as sugestões que lhe trazia, tantos ritmos (que só pediam palavras para soar realmente) se entrecruzavam na sua cabeça, que sentia como se pudesse escrever a um só tempo os versos que antecipavam de longe a chegada a essa planície e aqueles que relatavam seus passeios por ela. E mais ou menos começou a fazer isso. Mas quando ainda estava na descrição preliminar da superfície, notou que faltava alguma coisa... Ou nem mesmo notou, não era necessário notar, a escrita fazia isso por ele. Um verso sobre a extensão dessa superfície devia mencionar os ângulos que a delimitavam, quer dizer, que não a delimitavam, porque não tinha limites. O que tinha que dizer dos ângulos é que não havia... Mas se não havia era porque a superfície não tinha superfície, ou melhor: tudo era superfície, um contínuo de superfície que não cessava... Não. Não podia continuar por esse caminho negativo porque ficava sem nada para dizer antes de começar a dizer. Talvez houvesse um modo de tornar a anulação positiva, de tornar o vazio produtivo... O problema estava na "superfície" e, afinal de contas, era só uma palavra. Apagou-a, deixando o resto. Experimentou substituí-la por "esfera". Sentiu, antes que a razão a comprovasse (de fato não a comprovou nunca), que essa pequena modificação resolvia tudo, e não era necessário mudar mais nada.

Deveria ter se recriminado pelo erro inicial, mas foi o contrário. Sentiu uma tremenda satisfação por ter começado mal; corrigir-se aumentava o prazer da descoberta. E não foi só uma gratificação subjetiva, porque o texto ganhou imensamente ao voltar atrás. Se tivesse começado com a esfera, teria lhe atribuído os traços convencionais de uma esfera e teria se tornado uma banalidade. Já começar com "superfície", mudando-a depois para "esfera", numa troca pontual de palavras, sem modificar o contexto, transformava a "esfera" em estranha, inovadora, bastante inatingível e, portanto, um bom objeto literário.

Foi a única correção que fez, porque a partir daí tudo fluiu sem tropeços, como se esse falso começo e essa correção tivessem aberto um caminho no qual já não havia como voltar atrás.

A esfera era realmente mágica. Notou isso ao continuar escrevendo, já compenetrado nela. Pensar numa esfera, com a condição de não pensar em outra coisa, quer dizer, não pensar em enfeites ou povoações ou irregularidades, equivalia a ser pensado pela esfera. Seu volume, puro e compacto, ia em todas as direções. Colocou, e acrescentou, tanto quanto permitido pela medida do verso, que não "ia", mas "estava" em todas as direções, ocupando-as com sua perfeição ultrassimétrica. Também a escrita partia para todas as direções, e não só para a dos versos que a precediam e se seguiam a ela, mas também para a da forma e do conteúdo, das palavras e das ideias... De Parmênides e Perinola. Preenchia tudo, ou melhor, tinha preenchido. Tudo ficava incluído, e não havia mais nada a dizer. Mas de algum modo era possível continuar dizendo.

Por exemplo, era possível dizer que a esfera geral não se mexia. Dedicou um verso a dizer isso. Não soube se devia pôr antes ou depois, então colocou-o em qualquer lugar. A imobilidade estava implícita na ideia inicial, mas ainda assim era possível dizer isso (ninguém o impedia). Com todo o resto aconteceria a mesma coisa. Percebeu que tinha entrado no campo da redundância. Qualquer coisa que dissesse já teria sido dita; a redundância substituía a significação. Intuía que o discurso da redundância era o único que seu patrão Parmênides conseguia entender, porque era o único que poderia querer ouvir; o não redundante ninguém iria querer, porque criava o desejo e não podia ser precedido por ele.

A esfera não se mexia porque não tinha para onde fazê-lo. Tal como ele postulara, sem acompanhamento algum, ela ocupava todo o espaço, até se identificar com o espaço. O resto saía mecanicamente, tanto que pensou em dar uma volta para que começasse uma história, por exemplo, imaginando um salto dimensional, e que a esfera o transformasse em uma bolinha (de cristal) rodando por uma ladeira, e erguendo a vista se enxergasse montanhas, e grandes animais, e uma cidade fortificada no cume mais alto... Sentiu o ar entrar na sua mente, um vento que o tornava mais leve. Nessa paisagem, sua inspiração teria espaço livre para operar; a clausura abstrata de pura lógica que impusera a si com a "esfera" e sua produção automática não era o que lhe convinha nem do que gostava. Preferia o inesperado, as surpresas da aventura, da guerra, do amor. E gostava de ter começado pelo outro extremo, pois assim poderia deduzir o concreto a partir do abstrato, e fazer nessa dedução o relato do nascimento da poesia. Num pulo instantâneo da imaginação pôde ver a paisagem (as montanhas, as megaferas, a cidade entre as nuvens) em toda a riqueza variada de figuras e vicissitudes que uma visão de conjunto permite, mesmo sabendo que ao se desenhar linha por linha elas se empobrecem.

Mas não chegou a dar o salto. A mecânica da esfera (do abstrato) o absorvia, de tão fácil que era. Não conseguia parar de anotar os versos ditados pela obviedade, sempre de baixo para cima; não tinha terminado de escrever um verso que já sabia qual era o anterior... Melhor assim: o que realmente queria escrever, as voltas insólitas da aventura e da beleza, deixaria para depois, para o próprio livro... Foi a primeira visão que teve, fugaz e deslumbrada pela paixão de querê-lo, do que escreveria de verdade, quando terminasse com Parmênides. Como seria seu livro? Não sabia. Cegava-o o desejo de escrevê-lo. Seria "lindo, admirável, emocionante". Sorriu, ou teria sorrido, se tivesse parado para pensar: estava se comportando como Parmênides. Queria um livro, mas não sabia que livro queria. Tinha errado ao zombar do seu amigo: todos os escritores faziam a mesma coisa, e os livros existiam graças a esse ponto cego.

A partir daí começou a se apressar. Só queria terminar o que tinha começado, para poder começar de verdade. Acabar com o simulacro. Ao menos tinha a certeza de que podia acabar com ele. A velocidade que mantinha estava garantindo isso. Escrever para outro significava apagar a si mesmo como autor: ruim para a vaidade, mas ao menos seria rápido, como todo desaparecimento.

Pois bem, nessa vertigem que o transportava, continuava descrevendo a esfera. Embora um pouco atrevida, a imagem da esfera como "todo" encaixava perfeitamente, porque assim era possível enxergá-la como algo concreto, mesmo no cúmulo da abstração, ou além. Dentro da esfera se estabeleceu um contínuo homogêneo que incluía tudo, e então por consequência não tinha fora. As categorias de exterior e interior caíram ou foram incluídas numa anterioridade lógica. Bastava pensar por tempo suficiente, quer dizer, continuar pensando mesmo depois de ter encontrado o que se buscava, para que a matéria do pensamento, as ideias, os conceitos, caducassem. Seguindo nessa direção, e por puro gosto das conclusões absurdas, mas razoavelmente absurdas, demorou-se na enumeração das características da esfera-todo. Só que não havia características porque não havia partes: não podia haver, já que a menor diferença teria quebrado a imóvel homogeneidade na qual se efetuava o Grande Equilíbrio; a esfera não era divisível nem mesmo com a lâmina afiada da faca da análise teórica.

Chegando até ali, foi mais longe. De onde viera a esfera, quando tinha aparecido? Se incluía o todo, e esse todo não tinha partes, não podia vir de outro lugar. Eliminava-se o conceito de espaço, e com ele eliminava-se o de tempo. A esfera imóvel sempre estivera ali. O raciocínio não lhe pareceu muito convincente, mas soava bem.

Retrocedendo verso a verso, chegou ao que devia ser o começo do poema. E então, sem diminuir a velocidade da escrita, veio-lhe uma ideia que, posta no início, amarrava tudo. Era um jogo de palavras, excessivamente óbvio, mas, por isso mesmo, extremamente eficaz: o que é, é, e o que não é, não é. Da primeira parte não podia dizer nada (o que dizer?), mas da segunda, sim, e até podia dizê-lo com certa energia polêmica. O que não é, não é! A quem poderia ocorrer que o que não é é? Absurdo! Ria ao escrever, pondo-se no lugar de quem falaria isso a sério e discutiria também a sério com alguém que o contradissesse. Nunca tinha ido tão longe na invenção de um desses interlocutores fantasmas aos quais é fácil derrotar. Possuído, continuou dominando-o com argumentos contundentes: se pensávamos algo, esse algo "era": era um pensamento. Logo, não era possível pensar que não era, porque pensar bastaria para lhe dar a ser. Ali estava, como mágica, o encadeamento com a esfera e seu contínuo pleno, que agora se tornava um contínuo pleno... de ser. Não sobrava nada entre o que era, não havia interstícios, porque o que não era também era... Continuou um tempo enlaçando versos nessa linha, até que as palavras começaram a se misturar na sua cabeça e ele mesmo deixou de entender o que escrevia. Além disso, já era suficiente.

No entanto, ao considerar o que tinha feito, notou que tinha se estendido só na direção do começo, a partir da proposição da esfera, que supostamente deveria ser o centro do poema. Para "arredondar" (nunca coubera melhor a metáfora), devia pôr, depois desse centro, a outra metade, uma quantidade aproximadamente igual de versos. Como não havia nada mais a dizer, repetiu a dedução anterior, com outras palavras; do seu trato com Parmênides tinha aprendido que as pessoas nunca reconhecem uma ideia como igual a outra se estiver expressa com palavras diferentes; nem mesmo é necessário que as palavras sejam diferentes: basta que estejam colocadas de outro modo nas frases.

Agora sim: Fim. Não escreveria mais. Quando ainda estava inclinado sobre seus versos, e quem sabe escrevendo o último, sua esposa se aproximou e falou com ele. Saiu como de um sonho, com um sorriso bobo, e ele levou um bom tempo para entender do que se tratava. Sabia, mas tinha esquecido completamente. Existiam os esquecimentos defensivos, de "resistência passiva", e esse era um, porque o vazio tinha se produzido sobre um desses compromissos ineludáveis que estragavam sua vida: naquela noite tinha que jantar na casa dos seus sogros, numa grande reunião familiar, e dormiriam lá.

Mas sua esposa não o estava lembrando, mas perguntando se ele estava pensando em ir. Num primeiro momento, achou que era uma pergunta retórica, ou uma ironia, ou uma recriminação (para que deixasse suas coisas e se preparasse). Como não iria? Por acaso alguma vez tinha conseguido se liberar dessas torturantes noitadas, nas quais sempre comia e bebia demais, por puro tédio, e depois passava dois dias imprestável e com dor de cabeça? Mas ela estava perguntando a sério e até parecia sugerir que uma resposta negativa não estaria fora de lugar. Sem conseguir acreditar na sua sorte, Perinola não achou as palavras de primeira, mas ela o ajudou: não era necessário que fosse, se tinha trabalho para fazer, seus pais entenderiam... Ignorava que já tinha terminado; mais uns segundos e teria se levantado e guardado os materiais... A sorte quis que se demorasse na mesa, sem mudar de posição. Agarrou-se à desculpa (sim, tinha muito o que fazer, e era urgentíssimo), embora não sem manifestar falsos escrúpulos: ela poderia fazer o caminho sozinha, com as crianças? Não tem problema nenhum!, foi a resposta: justamente, seu irmão esperara a chuva passar e tinha vindo buscá-la, com o carrinho dos burros, de modo que em relação a isso não haveria inconvenientes. Já plenamente fundido com a oportunidade milagrosa, Perinola começou a mentir com exuberância: tinha uma enorme quantidade de trabalho a fazer, mal começara, e o voluntarioso e impaciente Parmênides queria ter um longo texto escrito e terminado amanhã sem falta... Queixava-se, enfeitando a fantasia: seu patrão passava anos sem fazer nada e de repente queria tudo, ele estava sobrecarregado, ia passar a noite trabalhando, seria ideal se pudesse ficar... Nenhum problema!, repetia ela, se desculparia com os pais... Ele se arriscava: poderia ir mesmo assim, claro que com um esforço extra, não queria ofender a família dela, sua sogra caprichava tanto na comida... claro que ele não estaria em condições de desfrutá-la, com a preocupação pendente... Ela: por favor! O trabalho era mais importante. E eles também não desfrutariam sabendo que ele estava se sacrificando... Por uma vez, o truque deu certo. Não teve que fazer quase nada, a não ser assentir e concordar, fazendo cara de tristeza. Quando o transporte chegou, ele saiu para se despedir, ajudou as crianças a subirem no carrinho, conversou um pouco com o cunhado: lamentava tanto perder o jantar, mas tinha um trabalho urgente para terminar... E à esposa, por puro gosto de tornar tudo mais verossímil: certamente no dia seguinte Parmênides mandaria o escravo gordinho que vinha sempre para buscar o trabalho, ele o deixaria em cima da mesa, se estivesse dormindo, tinham que entregar... E ao cunhado outra vez: fazer o quê, tinha que cuidar do emprego, os ricos eram assim, quando queriam alguma coisa não aceitavam desculpas... Antes que partissem já tinha voltado à mesa e feito uma expressão de intensa concentração, que não modificou até que os ouviu se afastarem, e as vozes finalmente se perderam.

Sentia-se um pouco culpado, mas no fundo era uma mentira inocente, afinal de contas tinha direito a um pouco de paz. Além disso, algo da ficção se tornou realidade, porque escreveu um pouco mais. Com efeito, ao sentar para fingir que continuava trabalhando, começou a ler e, ao fazer isso, percebeu que faltava alguma coisa. Essa disparatada história do "ser" e do "não ser", em razão do seu clima exasperadamente abstrato, não funcionava como tema, mas como prólogo a um tema; para lhe dar substância era preciso por sua vez incluir um prólogo que funcionasse como tema.

Com o movimento adquirido, foi fácil esboçar em alguns minutos trinta e dois versos nos quais um jovem elegante montado em éguas velozes (era a ideia que Parmênides podia se fazer do seu leitor) visitava uma indefinida Deusa da sabedoria que lhe anunciava as grandes verdades... do conhecimento.

Escreveu sem pensar muito, já se desconcentrando aceleradamente. Ao entusiasmo um tanto frenético que o acompanhara durante a redação sucedia, como anticlímax quase necessário, o desânimo e uma vaga sensação de vergonha. Não, definitivamente não podia mostrar aquilo a Parmênides. Nem a ninguém. Fez uma pilha, deixou-a de lado e ergueu os olhos. A realidade voltava a ele pouco a pouco. Era verdade que tinha parado de chover; quando um tempo antes sua mulher dissera isso, e ele mesmo o confirmara ao sair para se despedir deles, não tinha percebido, absorto na sua manobra para se livrar do jantar. Agora que o registrava, lembrava que sempre o deixava feliz que a chuva cessasse antes da noite e que houvesse um suplemento de dia, como um presente. De modo que esse era um bom motivo, se precisava de mais algum, para se animar.

Ficou de pé e deu umas voltas por sua casinha, silenciosa sem as crianças. Depois saiu, sem abandonar o silêncio, que se prolongava para além das paredes. O anticlímax prosseguia e se aprofundava. Por um instante, arrependeu-se de ter mentido e ter ficado excluído da reunião familiar. Agora estava sozinho, sem nada para fazer, com uma noite chata pela frente.

Não só tinha parado de chover, como o tempo abrira, as nuvens deixaram à vista um céu azul transparente e continuavam se afastando, inofensivas, em direção ao Oeste, onde o sol poente começava a colori-las. A doçura do ar, e uns gorjeios, bastaram para reconciliá-lo com a solidão.

Afinal de contas, continuava sendo a hora da sua caminhada de todas as tardes e, desta vez, não tinha pressa para voltar e ajudar com a comida. Podia ir ver o mar, o que lhe impedia?, e tomar alguma coisa numa taverna, e voltar tarde. Por que não, realmente? Era um escravo do hábito.

9

ERA A HORA AZUL. DURANTE A CAMINHADA, Perinola tinha visto como o céu terminava de se abrir e a chuva se tornava uma lembrança. As últimas nuvens, antes de se afundar sob o horizonte junto com o sol, encheram a atmosfera de reflexos dourados e cor-de-rosa. O azul claro da abóbada desbotou um instante e depois começou a escurecer até chegar a um azul profundo, iluminado por dentro, que não era nem dia nem noite. A hora azul era a sua hora favorita, não conseguia dizer por quê. Quem sabe porque era a hora do tempo, não do tempo ameaçador e implacável, mas do que se oferecia e passava, não sendo antes nem depois, nem promessa, nem nostalgia. Ou quem sabe porque se repetia todos os dias quando chegava sua vez, mas ao mesmo tempo não todos os dias, somente alguns, que se tornavam dias memoráveis. Ou quem sabe ele gostava mesmo dessa cor azul, só isso.

O passeio o levara longe, embora percorresse um arco que o devolvia ao ponto da costa mais próximo da sua casa. Ao chegar ali, lembrou que não era necessário que voltasse ainda: ninguém o esperava nem tinha nada para fazer e a hora azul durava. Então voltou a se afastar. A seus pés se estendia a superfície do mar, feita de picos trêmulos, cinza e com diminutos derramamentos de espuma branca. Subiu pelos penhascos para dar uma última olhada nas ondas que rompiam contra as pedras e depois pegou um dos caminhos da cidade.

A paisagem familiar não apresentou obstáculos para que seu pensamento vagasse por mil labirintos de fantasia. Deixava cada ideia ou sensação que lhe passava pela cabeça cair no esquecimento, e o movimento de abandoná-las fazia com que outras surgissem. Era um descanso prodigioso, umas verdadeiras férias de poeta. Igual ao céu, ou seguindo seu processo, por simpatia, sua mente se esvaziou de palavras, deixou ver seu fundo transparente, coloriu-se com reflexos longínquos, e depois teve sua própria hora azul.

Dentro do esquecimento havia algo como uma lembrança. Toda a caminhada se dera sob a sensação prazenteira de ter escrito, misturada com a satisfação um tanto infantil de que o truque para evitar o jantar na casa dos sogros tivesse dado certo. Com o cair da noite e a necessidade de buscar um fim para o passeio, a sensação se fundiu no agradável cansaço físico, e a consciência emergiu.

Ter escrito continha a promessa de escrever mais. Já não lembrava mais o que tinha escrito algumas horas antes; não queria lembrar, apagara-o, certamente por bons motivos (também não queria pensar neles), porque deviam ter sido besteiras, a famosa "qualquer coisa" que antes de se definir prometia tudo e, uma vez registrada, era tão decepcionante. Mas tinha presente, em todo o corpo, como um souvenir precioso, a sensação de escrever. Teve um movimento de simpatia por Parmênides: graças a ele, usando-o como desculpa, tinha escrito. "Se Parmênides não existisse, teria que inventá-lo", disse a si mesmo. Todos os poetas deveriam ter seu Parmênides. Talvez o problema dos escritores fosse que sempre queriam escrever bem, sempre queriam escrever "a sério", e podiam passar a vida sem começar, tão atordoante era a exigência de expressar sua verdade. Escrever para outro e em nome de outro os aliviava de toda a responsabilidade e a inspiração levantava voo como uma ave, na direção de céus vazios... Tão vazios que podia atravessar seus umbrais invisíveis sem encontrar obstáculos e passar da região do "outro" à de "si mesmo", da "besteira" à "poesia", sem abandonar o espaço livre de "qualquer coisa".

De repente, podia ver a coerência que regera sua longa aventura de "colaboração" com Parmênides como uma fábula de iniciação. A amizade, o carinho que se criara entre eles dois, também encontrava seu lugar. Graças à amizade, os tempos longuíssimos de maturação que "qualquer coisa" exigia tinham se tornado suportáveis e tinham sido respeitados. Porque um poeta, para chegar à poesia, deveria atravessar o universo inteiro, seu inumerável caos iluminado. Aí tinha sido útil a obstinada ignorância de Parmênides sobre o que ele queria.

Agora era a vez de Perinola ignorar. Ele também não sabia o que queria escrever. Mas ignorar, e dar corpo a essa ignorância como desejo, já era saber. Porque Perinola não transferia o desejo, mas o voltava sobre si mesmo, como um farol poderoso... Essa luz já era o poema, o seu, o dos castelos e das montanhas e dos mares e das bestas fabulosas e das ninfas...

O processo já estava funcionando, com uma força insólita. Um sorriso bobo se desenhou no seu rosto, uma careta que não expressava o tumulto quase extático do seu interior. A partir desse momento, tudo serviria. O menor, o mais insignificante, podia se tornar signo, e o signo, poesia.

E era fácil. Sobretudo, era fácil, facílimo. A natureza inteira estava do seu lado, sua vida, o particular, o concreto. O ritmo do seu fôlego, as batidas do seu coração. Fazia-se por si só.

Não precisava mais perguntar, como tinha feito até agora, o que estava esperando. A pergunta ficava a cargo da posteridade. Ao abraçar a humanidade futura, numa exaltação do presente, Perinola punha também o tempo ao seu lado. E para além dessas especulações líricas, precisava lembrar que já andava pelos quarenta anos: era hora de começar a fazer alguma coisa de verdade. (A subordinação ao seu amigo rico tinha preservado nele um lado infantil, que lhe seria muito útil na hora de escrever.)

Enfim. Talvez esses não tenham sido os pensamentos que teve ao final desse dia tão importante na sua vida. Quem pode dizer o que o outro pensou, se dizer o que se pensa já é tão difícil? O máximo que pode ser feito é reconstruir o pensamento a partir dos fatos posteriores, desde que tenham sido registrados. Claro que a reconstrução se baseia no pressuposto de que os fatos obedeceram às intenções formuladas no pensamento anterior, o que é sempre duvidoso e sujeito a acidentes. E o registro deles é por definição lacunar e ambíguo. Tratando-se de um escritor, os "fatos" e o "registro" são a mesma coisa, com o que se evita o inconveniente da incompletude, mas se agiganta o da ambiguidade. A reconstrução dos pensamentos pertence à ordem da ficção, embora neste caso fosse necessário subtrair dela suas conotações de invenção aleatória e vê-la antes como um tipo especial de trabalho filológico.

O poema de Perinola, o seu, não o monte de disparates que tinha escrito "para Parmênides", o poema do qual estava pleno nesse momento, "diria" todos os seus pensamentos, até os que não pensara. Não só os pensamentos em si, mas seu encadeamento, suas transformações, seus vazios. E, como os pensamentos são suscitados pelo que acontece, o poema diria também, para quem o lesse com atenção, tudo o que tinha acontecido, e as causas do que tinha acontecido, e as causas anteriores, os mecanismos do mundo inteiro, numa escalada que terminaria abarcando tudo.

Ou talvez não. Talvez dissesse outras coisas, que sempre permanecerão no mistério. Nunca saberemos, porque ele não escreveu seu poema. Não por falta de vontade, mas porque a triste fatalidade o impediu.

De repente, tinha entrado na taverna Afrodite, sem pensar. Pensou a posteriori, se justificando: por que não podia ceder a um impulso, uma só vez? Por que precisava se justificar? Ninguém o esperava em casa, dava no mesmo se chegasse uma hora antes ou depois. Ir se recolher tão cedo, sozinho, podia ser deprimente. Melhor chegar tarde, para dormir de uma vez.

O lugar era grande e barulhento. Ele o abrangeu da porta, que ficava num nível ligeiramente elevado em relação ao chão. Havia muita gente e muito barulho, sendo necessário adaptar os pulmões à atmosfera carregada, além de ajustar a visão à massa confusa de homens gesticulando e brilhos escuros. A única iluminação provinha de uma monstruosa lâmpada a óleo em forma de touro de cabeça coroada, em tamanho real; era de alabastro e devia ter enfeitado um palácio antigo; agora estava quebrada, remendada com cerâmica, com pés de mesa substituindo os que perdera e buracos pelos quais saíam os raios da luz dourada da chama. Perinola desceu olhando onde punha os pés e começou a abrir passagem entre as mesas. Sua entrada não tinha chamado a atenção, fato determinante para que decidisse ficar e aproveitar a noitada. Não tinha em mente nada especial: tomar um pouco de vinho, conversar um tempo e depois ir embora para dormir bem tranquilo.

Admirava-o a quantidade de fregueses comendo e bebendo. Não sobrava espaço. Dava para ver que desfrutavam da contiguidade e de serem tantos a ponto de encher a taverna em toda a sua extensão. Para ele, pai de família e de horários diurnos, era uma visão nova; de dia, as pessoas andavam dispersas, cada uma na sua. Talvez todas as noites acontecessem os mesmos encontros, mas existiam hábitos que ele ignorava, e homens que se importavam menos que ele em deixar a mulher em casa e sair para festejar com os amigos.

Foi buscar uma jarra de vinho e acrescentou água em abundância. Sentou na ponta de uma longa mesa ocupada por um grupo que vociferava e ria. Sorriu à direita e à esquerda, ao mesmo tempo que enchia as canecas dos seus vizinhos, que brindaram e beberam; ele fez o mesmo e de imediato teve uma sístole de adaptação.

Como a conversa na mesa não precisava da sua participação, ele se recostou, cruzou as pernas e olhou em volta. Os presentes eram todos homens, embora também parecesse haver algumas mulheres. O barulho era tão forte que não dava para ouvir a orquestrinha que via em ação no outro extremo. Mas em alguns momentos a ouvia.

Na agradável penumbra, sobressaíam olhos atiçados, barbas e cabeleiras eriçadas, fumaça e odores. Havia cachorros por toda parte, corriam, deslizavam entre as pernas, assomando suas cabeçonas bestiais pela beira de uma mesa, cheirando, ansiosos, pedindo algum resto, depois se juntavam de novo às corridas.

Distraiu-se olhando como umas crianças de ambos os sexos, certamente filhos do patrão, penduravam lampiões numa corda estendida entre duas cornijas. Para alcançá-la tinham que subir nas mesas, o que era motivo de risadas e gritos. Quando as pequenas luminárias tremeluzentes já estavam penduradas, as sombras se multiplicaram e adquiriram novos movimentos.

O que esse lugar teria sido antes? As colunas que subsistiam, carcomidas, as abóbadas entrelaçadas, os restos de pórticos e arcos, tudo preto pela ação secular da fumaça, indicavam que podia ter sido um templo, quem sabe um palácio, uma arqueologia recuperada para uso do público, quem sabe depois de um terremoto. A taverna estava semienterrada, uns metros abaixo do nível da rua. Mas dava a impressão de que não a tinham escavado, e sim subido o terreno ao redor.

Quando as crianças pularam das mesas nas quais tinham subido e voltaram correndo para o fundo, os cachorros enlouqueceram e correram também. Foi como se toda a taverna fosse atravessada por um maremoto, que depois refluiu na forma de som: as vozes se multiplicavam, subiam de tom, encontravam novos temas.

Começou a se infiltrar nas bordas da sua consciência o sentido das palavras que soavam ao seu redor. Na mesa onde estava sentado, falava-se aos gritos, assim como na que estava atrás, e ouvia as duas ao mesmo tempo, além, quem sabe, de algumas outras mais distantes, quem sabe todas, numa fragmentação que ao mesmo tempo era um contínuo entrelaçado.

Embora só tivesse bebido uns goles de vinho, já sentia o efeito, pela falta de costume. Apesar disso, e da gritaria, nesse momento compreendeu por que havia tanta gente. Eram os pastores de cabras da montanha; reconheceu-os pelos chapéus altos feitos de caracoizinhos colados como musgo; tinham descido para o mercado anual e estavam fazendo uma social para a qual tinham se animado durante meses. Era por isso que todos falavam tanto e tinham tanto a dizer. Cansados das alturas em que viviam, as profundezas da taverna Afrodite (embora modestas: uma dezena de degraus) pareciam altamente civilizadas para eles, e todo esse jogo de luzes e sombras, música e turba, vozes humanas, os ressarcia do silêncio e da solidão. Para eles não era uma cacofonia, mas uma espécie de festa.

A partir do momento em que soube o motivo da multidão, e de quem se tratava, começou a entender as palavras. No início também pareciam fragmentadas e poliédricas, mas não demorou a compreender que essa gente primitiva falava por fórmulas; mais que falar, repetia (como ecos: outro hábito das montanhas), soltava aos berros frases que não sabia consistirem de palavras. O primitivismo explicava também o volume. Para falar em voz baixa era preciso certa educação e uma longa prática. Era a mesma coisa que acontecia com a natação: o principiante precisava nadar rápido, a toda velocidade, e só o nadador experiente conseguia nadar devagar.

Do que eles falavam? Nem era preciso perguntar. Do que seria a não ser dos assuntos que interessavam ao vulgo? Em primeiro lugar, de lutadores. Resistiu a acreditar durante um momento, duvidou de seus ouvidos, tão remoto dos pastores selvagens lhe parecia esse espetáculo urbano e a mitologia que os acompanhava. Mas sim, era isso. Estavam informados, atualizados, e cada um tinha uma opinião mais forte que a do outro. Todos queriam impor sua erudição a respeito do assunto, proclamando nomes e datas e ocasiões. Os velhos faziam os jovens se calar com o argumento, definitivo segundo eles, de que as figuras atuais da luta não podiam ser comparadas com os velhos astros, que vinham dos jogos lendários nos quais participavam touros, golfinhos, cavalos e gigantes. Os razoáveis os tratavam como alucinados e afirmavam que hoje em dia as técnicas tinham se aperfeiçoado tanto que um lutador antigo não teria defesas contra um moderno. Claro, como comprovar isso?

E assim continuavam. Podia ser um tanto chato para o não apaixonado, isso Perinola já tinha comprovado em outras imersões no ambiente popular, mas por sorte apareciam outros assuntos intercalados, que embora também previsíveis, pelo menos eram outros e davam lugar a outras visões. Por exemplo, o batido assunto dos fantasmas. De repente, todos estavam falando de fantasmas. Existiam ou não existiam? Metade da humanidade opinava que sim, a outra que não, e nunca se encontrariam num terreno comum. Os fantasmas vinham ao caso no impossível confronto entre lutadores vivos e mortos. As fórmulas que eram lançadas na cara, no máximo volume de seus pulmões acostumados a chamar as cabras de um vale ao outro, eram do tipo: "Ninguém vive cem anos!", "Os mortos dormem menos do que os vivos!", "Quem tem medo que não lute!". Elas não respondiam a nada, nem podiam ser respondidas com nada, mas o que aqueles brutos sabiam de lógica? Os lutadores, de fato, dormiam muito, seus treinadores sempre os mandavam para a cama para repor o desgaste provocado por cada combate, e ao longo da carreira encarnavam aquele hábito; de alguns se dizia que dormiam até vinte horas por dia. Se esses super-homens representavam a vida na sua forma mais positiva, então tinha certa consistência poética dizer que os mortos sofriam de insônia perpétua. Um fantasma era possível invocar a qualquer hora. Quanto ao medo, sentimento que os fãs levavam tão em conta ao avaliar as condições de um atleta, era preciso se perguntar, pensou Perinola, se era um efeito ou uma causa dos fantasmas, ou em todo caso qual vinha primeiro.

Havia uma história sobre um lutador bígamo, uma história que vinha de muito tempo atrás (Perinola a ouvira na infância) e que todos conheciam, mas continuavam contando-a e discutindo-a. Tratava-se de um lutador que dormia tanto que sua esposa o deu por morto, e para sustentar o lar, já que de outro modo teria mergulhado na miséria, fazia os admiradores entrarem para contemplá-lo, na glória do sono, mediante o pagamento de uma moeda. O que ela não sabia era que seu marido tinha outra esposa, em outra cidade (à qual os jogos o levavam com frequência), e a outra também tinha notado que dormia muito; com um temperamento diferente do da primeira, essa segunda mulher do bígamo o obrigava a ficar acordado, cuidando da casa e das crianças, coisas que ele fazia com bastante habilidade.

Ter duas mulheres requer muitas mentiras, muitas manobras delicadas, sobretudo muitas manipulações de horários, habilidades um pouco acima da limitada capacidade mental de alguém tão pouco pensante como um lutador. A esse, o Destino simplificou a tarefa: uma das mulheres morreu (as versões diferiam acerca de qual delas). A morta, por ter sido uma dona de casa e mãe muito dedicada, voltou como fantasma para cuidar da casa e das crianças: tudo estava limpo e arrumado, ninguém sabia como, a comida na mesa na hora certa, o quintal varrido, a roupa costurada e lavada. As pessoas iam admirar a Casa Perfeita da fantasma e faziam fila ao lado dos que iam para admirar o campeão inerte.

A fantasia popular, que nunca deixava de inventar a partir do menor estímulo (e aqui o estímulo não era menor), resolveu bordar uma história sobre o fantasma do lutador invencível, que na morte se adiantava ao tempo, aprendia no futuro as novas técnicas de imobilização e rasteira, e voltava, vivo, para aplicá-las, obtendo toda a vantagem dada pela ignorância dos seus rivais primitivos. Fosse por sugestão, fosse por uma artimanha bem orquestrada, o lutador se tornou realmente invencível, dando infinitas satisfações a seus seguidores. Vencia com uma facilidade assombrosa. Mas devia dormir cada vez mais, tanto que já não assistia aos jogos e era preciso admirá-lo na cama.

Novas voltas de parafuso, novas invenções desconexas, que se conectavam apesar de tudo, continuavam dando emoção à história.

A intenção original de Perinola havia sido beber alguma coisa e ir embora, mas ficou tentado pela comida, e além disso tinha à sua disposição os argumentos que empregara para entrar: ninguém o esperava, estava livre, se não gozasse dos pequenos prazeres que a vida lhe oferecia de passagem, ninguém gozaria por ele.

Com certa leviandade, disse: "comer nunca fez mal a ninguém". Claro que ele, que não participava de banquetes, nem viajava, estava tão habituado à comida caseira que havia uma alta probabilidade de qualquer outra lhe cair mal.

O que lhe serviram (não havia muitas opções) foi um ovo de pato. Um pouco alterado pelo vinho que tomara, e o que tomou para se animar antes da comida, viu o ovo brilhar com um vermelho intenso, como um sol no horizonte. Isso, que podia parecer mais um delírio, era a simples realidade. O ovo de pato se tornava vermelho por um processo químico ao ser cozinhado. A purpurina do embrião se difundia pelo meio translúcido num rosa que o calor acentuava até o carmesim mais vívido. (Diferentes das galinhas, as patas não ovulavam se não fossem fecundadas.)

Engoliu o ovo num segundo, descendo-o com vinho. Mal tinha terminado de ingeri-lo e começou a se sentir mal. Arrependeu-se de ter comido aquele veneno, mas já era tarde. Na realidade, o ovo e os ingredientes com os quais tinha sido preparado eram perfeitamente inofensivos. O que o alterou foi o vinho. Tinha se proposto a beber pouco e talvez o tenha feito; mas às vezes pouco era pior do que muito.

Enquanto isso, as conversas continuavam a todo vapor. A hora que avançava não diminuía a animação na taverna. O volume das conversas tinha aumentado, apesar de agora a música se fazer ouvir, porque a orquestra incorporara instrumentos: trombetas, flautas e uma espécie de chocalho que mantinha um ritmo de estalos cristalinos. A visão e a audição de Perinola se misturavam; tudo ondulava de modo igual. Uma profusa camada de suor gorduroso cobria seu rosto. De vez em quando soltava uma risada, que também poderia passar por uma tosse; mas cada vez mais exausta. A história do dorminhoco chegava ao fim.

Era o presente. Ao entrar na taverna Afrodite, Perinola tinha entrado no presente, sabendo o que fazia. Que outro motivo teria tido para entrar? Tinha descido ali fugindo dos acúmulos rotineiros de tempo, em busca de um presente que resistisse. Agora percebia (na medida em que seu estado de atordoamento lhe permitia perceber alguma coisa) que o presente podia chegar a resistir demais, tornando-se intratável.

Talvez tivesse que ser assim. Afinal de contas, ele não tinha se proposto a violar o presente, penetrá-lo, dominá-lo; em todo caso, tinha aspirado a pô-lo do seu lado. Mas como pôr do seu lado uma fera turbulenta que soltava rugidos incompreensíveis e escapava em todas as direções? Numa última tentativa de pensar, disse: o presente cresce...

Na realidade, o que crescia dentro dele era um fenomenal distúrbio visceral, efeito da comida e da bebida, que não demorou a levá-lo para o outro lado. A partir daí, não soube mais o que aconteceu. Nem mesmo seu fantasma poderia contar (se tivesse voltado). Alguém o tirou pela porta traseira para que curasse a bebedeira sozinho, antes tendo roubado o dinheiro que trazia; foi para dissimular esse roubo que o levaram para o estábulo, senão o teriam deixado sob a mesa onde caiu. De modo que o que aconteceu depois não teve testemunhas. Mas não foram necessárias porque é fácil deduzir o que foi: um cavalo solto, inquieto pelo confinamento ao qual não estava acostumado, começou a ficar em pé sobre as patas traseiras, para deixar cair as dianteiras com força, em sinal de impaciência. Numa dessas piruetas, que tinham algo de baile fosforescente na escuridão (era um cavalo branco), acertou a cabeça de Perinola, e a estourou como um melão maduro.

10 de dezembro de 2004

Posfácio

Consta que na cidade grega de Eleia — hoje parte da Itália, na costa de Salerno, perto de Nápoles, e chamada de Vélia —, entre os séculos 5 e 6 antes da era cristã, viveu um proeminente legislador, de família abastada, que se deu ao trabalho de escrever um longo poema, tratando de assuntos que forneceriam muita ocupação interpretativa para gerações posteriores. Com um título vasto — "Da natureza" —, que supomos ter sido um batismo posterior, pela mão de outro que não o seu autor, o poema não sobreviveu na íntegra, perdendo-se parcialmente nos vagalhões da história. O que temos hoje é residual, uma montagem feita a partir da coleção de citações extensas realizadas por estudiosos posteriores da obra. Em relação à vida do seu autor, Parmênides, muito pouco do que se sabe é preciso e seguro: no que diz respeito à biografia, tudo é tentativo, não passando de uma especulação controlada pelos hábitos comedidos da erudição e pelo zelo na preservação de uma presença que assine e se responsabilize pelo pensamento que o poema configura. Parmênides é um fundador da metafísica ocidental, um rosto preservado em mármore que é uma das figurações mais remotas da autoridade filosófica. Não sem razão, e com uma pitada de ironia, o filósofo Richard Rorty, ao comentar a estrutura dinástica da filosofia, costumava se referir a ele como "Papai Parmênides".

É possível que César Aira tenha se deparado com a figura de Parmênides como eu mesmo me deparei pela primeira vez: na juventude, como parte da formação geral, caçando alguma forma de introdução à filosofia. "O que é o ser?", se pergunta Parmênides e, ao responder, como num passe de mágica inventa a ontologia. Adolescente e esforçado, eu manuseava compêndios do tipo *Vidas de grandes filósofos* e tinha interesse por tudo, pois achava que eram coisas importantes. Apesar da motivação sincera e do empenho genuíno, tinha dificuldade de lidar com essas perguntas fundamentais, que me pareciam projetar tudo para outra região, dando notícias de um país cujos hábitos ainda não conhecia bem: o Pensamento. Queria conhecer esses hábitos, participar desse mundo: queria saber pensar, entender e compreender. De alguma maneira, por mais trôpega que tenha sido a rota, isso me trouxe até aqui: a escrita de um posfácio para um livro de Aira que trata de Parmênides.

De onde vem esse livro? Imagino que algum elemento da potência enigmática do poema, bem como sua radicalidade e soberba, tenha capturado a atenção de Aira. Além disso, suponho que os convites ao paradoxo num texto que pretende dar cabo do problema da distinção entre o que existe e o que não existe somaram-se a uma ideia de que na vacuidade do relato sobre a vida do autor residiria alguma fonte de interesse, "uma piada secreta". Afinal de contas, quem foi esse poeta-filósofo de convicção tão formidável? Ao escrever seu poema, Parmênides se fez criador de mundo, uma espécie de Autor Máximo, pai de uma tradição e de um modo de indagar e organizar o universo que ainda gera comentário e debate. Um texto inaugural, que ambiciona circunscrever a essência das coisas e conferir o valor devido a um mundo vacilante, inspirou inúmeras glosas, de Simplício a Martin Heidegger, passando por Friedrich Nietzsche, por uma infinidade de lógicos, e até por minha cunhada, que defendeu há alguns anos uma tese justamente a respeito de Parmênides.

Qualquer que tenha sido a forma do encontro e a razão do fascínio, o fato é que o Parmênides de Aira pouco serve a quem dele se aproxima com a expectativa de um tratamento sacralizador da figura e de sua obra. Muito se diz sobre a frivolidade como uma marca da assinatura Aira: em suas narrativas, tudo é passível de ser banalizado, ou de revelar sua face carente de gravidade e seriedade, tudo pode virar burla. Aira ri da pompa excessiva sempre, e seu riso nutre um texto que manuseia o burlesco como instrumento para uma crítica do vetusto, pois este é apenas mais uma demonstração do patético, que está em seus narradores, nele, e em nós, leitores, também. Essa percepção, reiterada por inúmeros críticos, parece acertada, é isso mesmo que ele faz, e às vezes sem se dar conta. Considerando que todo trabalho de autoria produz simultaneamente um conjunto de textos e uma imagem de quem escreveu esses textos, a fisionomia de autor que construí ao longo de minha frequentação de Aira está muito ligada a esse traço que enfatizo aqui. Desejo manter presente a possibilidade de que ele produza algo em sua ficção "às vezes sem se dar conta" por acreditar que essa é uma aproximação ao exercício de autoria típico de Aira mais feliz que a suposição de um grande intelecto coordenador por trás de tudo, executando planos de dominação da literatura por meio de sua poética. A inteligência de Aira existe, e é farta, assim como seu virtuosismo, que é impressionante. Mas suas energias parecem estar a serviço principalmente de uma certa disponibilidade. Se há uma intenção prevalente, é a de abertura ao acaso, ao acidente, ao aleatório, ao intempestivo, à deriva. A imagem da vida que essa narrativa corteja é, sinto, privada de temor no que diz respeito ao convívio entre êxito e ruína, enlevo e desespero, sucesso e insucesso, intenção consciente e impulso inconsciente. Da mescla dessas forças se move a mão que anotou em caderninhos essas versões da vida que ele nos oferece. O imagino vulnerável a esses fluxos em seus próprios textos que, quando lemos, nos apresentam a momentos de júbilo, mas também de frustração, tal como se dá quando vivemos.

Isto posto, na maneira como lida com Parmênides, Aira aparenta propor uma elevação do valor da aposta, intensificando tudo até criar um curto-circuito na diagramação habitual das coisas. O que parece burlesco na *novelita* é a tentativa, séria, de descrever uma situação, verossímil, de produção de um texto que, sendo poesia, dirige um destino da filosofia, ocupado em disciplinar as relações entre o ser e o não ser. Isso é feito de tal maneira que o livro dá uma cambalhota, e vira uma indagação sobre o ser e o não ser da literatura. O que é isso?

Pois o livro trata de Parmênides, sim, esse título não é um blefe, é da conhecida figura histórica que estamos falando, na medida do possível. Mas Aira narra como se ele pairasse sobre essa figura e, flutuando como um drone transparente, a retratasse desse lugar de observação que é próximo, mas nunca interno. Parmênides interessa, é parte do jogo lidar com a alvorada do pensamento filosófico do Ocidente, e afinal conceber uma imagem alternativa da história da filosofia e seu vínculo íntimo com a literatura. Mesmo a mais sisuda fórmula metafísica nasceu como uma mescla de especulação e sonho, empenho e imaginação, e a atitude de Aira se inspira na tradição e dela extrai recursos para, debochada e herética, fazer a narrativa acontecer.

Tudo o que é humano é marcado por um aspecto patético, e Parmênides é análogo a qualquer um que acredita ter um livro no coração, que tem algo de sua vida, suas experiências e seus pensamentos a oferecer aos outros sob forma de livro. Sua visão mira no produto: é de um livro já feito, não do processo de fazê-lo. E para fazer o livro com ele, ou a partir dele, é que aparece esse seu associado fortuito, amanuense, amigo, sabe-se lá, que é Perinola. Este, que não deixou nenhum resíduo para a história da filosofia, aparece na história como talvez o primeiro ghost-writer e verdadeiro autor do poema de Parmênides. Do laço contingente e das conversas entre os dois emerge o poema, mas são as invenções e traquinagens de Perinola, seus jogos com forma, imagem e sentido, que fazem do poema o que, afinal, é. Ou seja: o poema se deve à vida de Perinola, ao fato de ter sido vivida como foi, marcada pelas habilidades que desenvolveu, a sensibilidade que forjou e os desejos que nutriu — inclusive de escrever outras coisas, que nada tivessem a ver com as demandas vagas e vastas de Parmênides. Mas essa vida é marcada pela submissão ao imperativo de escrever o livro do outro, para o outro, por uma demanda do outro. E estamos neste nó: um deve ao outro, se fazem reciprocamente, oscilando potencialmente numa caixa misteriosa, como versões do gato de Schrödinger. Se um é autor, o outro não é, mas sem o que não é autor, o que é, não é. Parmênides precisa de Perinola, pois "não sabia escrever. Ou sabia. Não sabia se sabia ou não sabia". E também Perinola só começa a escrever "um trabalho sorridente" quando põe a "máscara" do autor e, portando uma fisionomia que não é a sua, mas a do outro, passa a escrever. E assim, como escritor fantasma, Perinola, mascarado de Parmênides, escreve o poema em nome do outro e fixa sua reputação.

Atravessado pelo tema do genuíno e do falso, do verdadeiro e do simulacro, o livro explora o ser e o não ser da literatura, da criação, da invenção. Examinando arquivos de escritores, temos acesso a pegadas deixadas em versões de manuscritos, resíduos de revisões que nos dizem de uma processualidade, um caminho percorrido da bruxuleante imaginação até seu depósito fixado no texto publicado diante de nós. Rasuras, correções, emendas, adições: tudo isso nos lembra que criação é mais processo que advento, mas não nos diz muito a respeito do foco intensificado de Aira nos pensamentos e sentimentos de Perinola enquanto cria o poema. Suas decisões, que às vezes se assemelham mais à força particular de certa inércia, aparecem mescladas a coisas que a própria escrita sugere e evoca, emergindo como frutos de uma árvore que está sendo ainda plantada. Imagens que reorganizam todo o plano geral, a gravidade das negociações com o imperativo do sentido contrastando com a leveza e a graça com que a falta de sentido e o absurdo se manifestam, os toques e alterações sutis que conferem outra forma de potência à escrita, a excitação e a ressaca desse labor todo: Aira observa e descreve meticulosamente tais processos, adentrando a vida comum desse poeta que já foi um dia jovem promessa e que agora, passados dez anos de caminhada com seu dúbio mecenas, dá conta, enfim, de escrever alguma coisa. Se Parmênides não quer saber do processo, Perinola vive o processo, a ponto de se surpreender consigo mesmo. Tem a "insólita suspeita" de ter "escrito uma coisa boa sem querer":

> A mera ideia era desestabilizadora. Porque não o tinha escrito "a sério". Havia algo assim como a redação de uma armadilha, ou melhor, uma isca. As intenções não tinham sido poéticas nem por um segundo. Mas talvez faltasse a ele aprender isso: as intenções não contavam. Talvez escrever fosse sempre escrever, e a qualidade se decidisse em outra órbita.

O processo de releitura do livro para produzir este posfácio durou umas duas horas. Alguns grifos e anotações eram como fotos antigas, e me mostravam um rosto no qual me reconheço, que é certamente o meu, mas não é mais o mesmo. Recordei, claro, o que já escrevi em outra parte, como acadêmico, a respeito de *Parmênides*, e revi as considerações mais ou menos derridianas que estimularam minha escrita naquele momento. Vejo neste livro uma grande farra dissertativa para quem se animar a construir conversações entre esse projeto de Aira e um conjunto de jeitos e modos de fazer filosofia que estão, como tema e problema, no pensamento de Derrida e outros em sua constelação, de Richard Rorty a Giorgio Agamben. A grande provocação da passagem da lógica ao jogo, a compreensão da filosofia como um problema de escrita e sua vinculação com uma poética e daí sua intimidade com a literatura, irmã gêmea nesse parto univitelino da perplexidade e do desejo humano por compreensão da vida e do viver: é uma cornucópia, há muito aí.

O livro nos convida a ler o ignorado, as incompetências, os erros e os laços que construímos com essas bases precárias, ao mesmo tempo que evoca o modo como criaturas tão marcadas por equívocos se aventuram de maneira inescrupulosa nas alturas mais pomposamente vetustas — o ser! A metafísica! Na maneira como essas aventuras aparecem no livro encontramos sua face patética: são empreitadas humanas, falhas, marcadas pelo canhestro, pelo fortuito, pelo caprichoso, pelo vão, obras que são fantasmas, sonhos de outro mundo, tecidas dessa mescla de desejo e contingência que é mistério dando à luz mistério.

Hoje sinto que preciso preservar o que há de insólito no livro, e que minha motivação mais forte é examinar seu poder de inquietar. A narrativa mimetiza aspectos da minha vida de acadêmico e escritor de tal maneira que, diante dela, estou como na vida mesmo, me virando como posso, movido antes por perplexidades atenuadas e improviso do que por saber certo e desempenho garantido. Por isso, quero indagar minha leitura, investida de modos críticos costumeiros e já, inevitavelmente, em alguma medida, enrijecidos. Desconfio deles. E a desconfiança aparece porque o texto faz algo com esses meus modos de ler, os escrutina, exibe, põe à prova. Quero acolher o chamado do livro à sabotagem da linha reta interpretativa, e da vida habitual: quero adentrar o Presente no qual, fatalmente, Perinola também adentra ao penetrar na taverna Afrodite. Acima de tudo, quero continuar em sua companhia, querido Perinola, para saber mais, dele e de mim:

> Quem pode dizer o que o outro pensou, se dizer o que se pensa já é tão difícil? O máximo que pode ser feito é reconstruir o pensamento a partir dos fatos posteriores, desde que tenham sido registrados. Claro que a reconstrução se baseia no pressuposto de que os fatos obedeceram às intenções formuladas no pensamento anterior, o que é sempre duvidoso e sujeito a acidentes. E o registro deles é por definição lacunar e ambíguo. Tratando-se de um escritor, os "fatos" e o "registro" são a mesma coisa, com o que se evita o inconveniente da incompletude, mas se agiganta o da ambiguidade. A reconstrução dos pensamentos pertence à ordem da ficção, embora neste caso fosse necessário subtrair dela suas conotações de invenção aleatória e vê-la antes como um tipo especial de trabalho filológico.

Um tipo especial de trabalho filológico que reside em examinar a identificação notável que experimento com relação a todos da *novelita*. Sou Parmênides, pois sofro deste mal: também ambiciono ter um livro com meu nome na capa, por razões que às vezes aparecem para mim com sua veracidade banal e narcísica e outras se revestem de sentido e conferem sentido a essa experiência que tem sido a minha, a de uma vida entre livros. Sou também Perinola, com seus eternos problemas de poeta pobre, um desejo de ser escritor curtido pelo tempo que passou e pelo imposto que a vida — em seu ofício cotidiano, nas negociações fatais entre o que se almeja e o que afinal se realiza — cobra de todo sonho. E sou um homem de meia-idade, em um café qualquer no bairro de Flores, em Buenos Aires, na Argentina, numa manhã do verão de 2004, escrevendo numa cadernetinha e rindo. Aira está rindo sozinho, recobrando ao escrever uma alegria original, diante de uma traquinagem que acabou de cometer e já se permitindo usufruir dos seus dividendos futuros, adivinhando o riso que aquilo que acabou de fazer irá gerar. Ou seja, está apenas *aparente-*

mente rindo sozinho: ri junto com o que escreve. O que quer dizer que ri com personagens que desapareceram há muito da face da Terra e que são também entidades inventadas, feitas de memória, experiência e linguagem. E ri conosco, seus leitores futuros, cuja forma mal adivinha, mas pouco importa, pois aposta que rirão, também, com ele.

ANTONIO MARCOS PEREIRA
Doutor em letras pela Universidade Federal de Minas Gerais (UFMG) e professor do Instituto de Letras da Universidade Federal da Bahia (UFBA). Coorganizador dos livros Toda a orfandade do mundo: escritos sobre Roberto Bolaño *(Relicário, 2016) e* Palavras da crítica contemporânea *(paraLeLo13S, 2017).*

Título original: *Parmenides*

DIRETORAS EDITORIAIS Fernanda Diamant e Rita Mattar
EDITORA Eloah Pina
ASSISTENTE EDITORIAL Millena Machado
REVISÃO Fernanda Campos e Eduardo Russo
DIRETORA DE ARTE Julia Monteiro
IDENTIDADE VISUAL E CAPA Celso Longo e Daniel Trench
IMAGEM DA CAPA © 2024 DeAgostini Picture Library/Scala, Florença
PROJETO GRÁFICO DO MIOLO Alles Blau
EDITORAÇÃO ELETRÔNICA Página Viva

CIP-BRASIL. CATALOGAÇÃO NA PUBLICAÇÃO
SINDICATO NACIONAL DOS EDITORES DE LIVROS, RJ

A254p

Aira, César, 1949-
Parmênides / César Aira ; tradução Joca Wolff, Paloma Vidal ; posfácio Antonio Marcos Pereira. — 1. ed. — São Paulo : Fósforo, 2025.

Tradução de: Parmenides
ISBN: 978-65-6000-066-7
1. Ficção argentina. I. Wolff, Joca. II. Vidal, Paloma. III. Pereira, Antonio Marcos. IV. Título.

24-94892 CDD: 868.99323
CDU: 82-3(82)

Gabriela Faray Ferreira Lopes — Bibliotecária — CRB-7/6643

Editora Fósforo
Rua 24 de Maio, 270/276, 10º andar, salas 1 e 2 — República
01041-001 — São Paulo, SP, Brasil — Tel: (11) 3224.2055
contato@fosforoeditora.com.br / www.fosforoeditora.com.br

Este livro foi composto em GT Alpina
e GT Flexa e impresso pela Ipsis
em papel Bibloprint 60 g/m² para a
Editora Fósforo em dezembro de 2024.